Steve M

La SANTÉ par les JUS

Guérir et rester jeune grâce aux jus

Ce livre appartient à

Josette Goulet

Ce livre est la traduction de *Juice Fasting and Detoxification*,
© 2002, Steve Meyerowitz.

Publié par Sproutman Publications, Great Barrington, MA, USA.

Distribué par Book Publishing Company, Summertown, TN, USA.

Traduction en français pour le Canada, © Édimag inc., 2009.

C.P. 325, Succursale Rosemont
Montréal (Québec) CANADA   H1X 3B8

Internet: www.edimag.com
Courrier électronique: info@edimag.com

Traduction de l'américain: Lambert
Correction: Gilbert Dion, Paul Lafrance
Illustration: Michael Jon Parman
Infographie: Écho International

Dépôt légal: deuxième trimestre 2009
Bibliothèque et Archives nationales du Québec
Bibliothèque et Archives Canada

© 2009, Édimag inc.
Tous droits réservés pour tous pays.
ISBN: 978-2-89542-311-9

Québec ::   **Canada**

L'éditeur bénéficie du soutien de la Société de développement des entreprises cultu-
relles du Québec pour son programme de promotion du livre.

Nous reconnaissons l'aide financière du gouvernement du Canada par l'entremise
du Programme d'aide au développement de l'Industrie de l'édition (PADIÉ) pour
nos activités d'édition.

"L'eau le meilleur remède" Steve Meyerowitz
$9.95

Table des matières

Introduction 5

Par où commencer 11

Jeûner... combien de temps? 22

Le jeûne à l'eau 31

Le jeûne au jus 36

Les types de jus 40

Le jeûne liquide 65

Guérison et désintoxication 76

Méthodes de désintoxication 79

Les effets psychologiques du jeûne 96

Arrêter le jeûne 99

Jeûne spirituel 107

La puissance qui a créé le corps
    peut guérir le corps! 109

DISTRIBUTEUR EXCLUSIF

Pour le Canada
LES MESSAGERIES ADP
2315, rue de la Province
Longueuil (Québec) CANADA
J4G 1G4

Téléphone: 450 640-1234
Télécopieur: 450 674-6237
www.messageries-adp.com
Courriel: adpcommercial@sogides.com

Introduction

«Je vous le dis en vérité... Satan est entré dans votre corps, qui est le temple de Dieu. Il a pris possession de tout ce qu'il voulait voler: votre souffle, votre sang, vos os, votre chair, vos boyaux, vos yeux et vos oreilles. Mais par votre jeûne et vos prières, vous avez rappelé le Seigneur et ses anges dans votre corps.»

— Jésus, *L'Évangile essénien de la Paix*

Notre monde moderne déborde de nourriture. Des mets de tous les coins de la planète se retrouvent dans notre assiette. De nouvelles inventions «comestibles» apparaissent: repas de gourmets avec légumes génétiquement modifiés et tomates irradiées, pour ne mentionner que quelques-unes.

Et la nourriture fait tellement partie de notre quotidien, de nos loisirs, de notre vie sociale, que nous avons oublié l'importance de *ne pas* manger! Notre rythme de vie effréné, le commerce à outrance et la publicité tapageuse ont brouillé la relation qui existe entre ce que nous mangeons et notre santé. Pourtant, avec toute cette technologie et ces méthodes modernes, nous faisons face à plein de maladies contemporaines, certaines mortelles, d'autres incurables.

Cancers du côlon et des poumons, problèmes cardiaques, artériosclérose, haute tension sanguine et bien d'autres étaient beaucoup moins fréquents il y a 60 ans, et sont tous directement liés à notre alimentation et à notre style de vie.

Le jeûne est un traitement très ancien qui fonctionne encore, même pour les affections dues aux excès de notre siècle. Il est assez ironique de constater que quelque chose de si ancien puisse agir sur des problèmes si nouveaux, et vraiment dommage qu'on en tienne si peu compte voire qu'on l'ignore complètement.

Le jeûne est pourtant le plus vieux remède du monde. Il est mentionné dans le livre de l'Exode. Moïse, Élie et Jésus ont jeûné pendant 40 jours. Et Jésus parle de jeûne et de régime dans *L'Évangile essénien de la Paix* (un texte légèrement différent du Nouveau Testament parce que traduit directement du texte original conservé au Vatican). Les juifs jeûnent encore en signe d'expiation. Les chrétiens pendant le carême. Les musulmans pendant le ramadan. Les hindous le font régulièrement. Platon et Hippocrate y croyaient. Les Égyptiens prescrivaient le jeûne pour guérir la syphilis. La pratique du jeûne thérapeutique n'a cependant été ravivée qu'en 1822, par un médecin naturopathe, le Dr Isaac Jennings.

Qu'est-ce que le jeûne?

Ce livre a pour but de vous expliquer ce qu'est le jeûne et comment il fonctionne.

En fait, le jeûne nous repose de la nourriture. C'est d'ailleurs étrange qu'une technique si simple agisse sur des maladies très complexes. Mais c'est la vérité! La raison: le corps est un guérisseur naturel. La nature est à la fois complexe et sublimement simple. Elle prend, pour agir, des chemins nombreux et mystérieux que la science moderne ne peut emprunter.

Notre corps cherche automatiquement à rester en santé en éliminant les poisons et en rééquilibrant sa chimie interne. Il y a en nous une force vitale régénératrice, et quand cette force n'est pas épuisée par l'activité physique, absorbée par une digestion laborieuse ou affaiblie par le stress, elle est disponible pour nous guérir. Le jeûne, essentiellement, nous débarrasse des poisons qui nous habitent, ce qui entraîne la guérison. Plus qu'un remède, c'est une occasion de rajeunissement, à condition, il va sans dire, que les organes essentiels n'aient pas été irrémédiablement abîmés par la maladie ou un traitement médical.

Le principe du jeûne est clair: recouvrer la santé par un nettoyage de l'organisme. Notre corps a une capacité limitée d'emmagasiner et d'éliminer les matières non digestibles ou étrangères que nous ingurgitons. Nous devons empêcher ces éléments de circuler dans notre organisme: ce sont des toxines, ennemies des cellules et des organes. Notre alimentation est bourrée de colorants artificiels, d'agents de conservation, de pesticides, d'insecticides, d'huiles rances et de toutes sortes de produits chimiques qui surchargent nos reins, nos intestins, notre peau, nos poumons et notre foie. Des années de mauvaise alimentation, la pollution de l'eau et de l'air, etc. permettent à cette charge toxique de s'accumuler, contrariant le bon fonctionnement de nos organes et réduisant leur pouvoir d'élimination.

Les hygiénistes croient que cette intoxication est la cause des maladies. Une personne malade est en quelque sorte «empoisonnée» par des polluants de toutes sortes: mercure, plomb, arsenic, nicotine; déchets cellulaires et métaboliques dus à de mauvaises combinaisons alimentaires. Sont responsables aussi: dépendances au sucre, au café, au tabac; habitude de trop manger et de mal se nourrir. Résultat: des maux de tête au lever, des dépôts autour des yeux, des odeurs corporelles, la langue épaisse, un nez bloqué. Le corps distribue ses poisons comme il peut! Un rhume est une valve de secours pour soulager la congestion des poumons, du sang, du foie et du système lymphatique. Stress et mauvaise alimentation entravent le courant normal des impulsions nerveuses. Le système nerveux ne peut plus correctement diriger l'énergie vitale vers les glandes et les organes. Il en résulte de la confusion, de la frustration et de l'instabilité. Si nous n'y faisons pas attention, ces poisons s'enracinent dans le corps et se transforment en pathologies. Le jeûne renverse ce processus et libère les poisons.

Le plus bel atout du jeûne est sa simplicité. Il s'agit de pratiquer l'abstinence. Et si certaines personnes doutent de son efficacité ou le croient dangereux, leur opinion reflète leur peur et leur ignorance. Le jeûne est sans danger et à peu près tout le monde peut le faire. Il est accepté et pratiqué dans la plupart des pays et encouragé dans la plupart des grandes religions. Contrairement aux traitements médicaux hors de prix avec leur lot d'hôpitaux, de docteurs, d'équipement technique, de primes d'assurance-vie, de poursuites pour faute professionnelle, le jeûne est quelque chose que l'on peut faire soi-même et qui ne coûte rien.

Aujourd'hui, les clubs de santé, les salons de bronzage et la musculation sont à la mode. On dirait que tout le monde veut un corps parfait. On choisit son *look* comme on choisit des meubles. On ne pense qu'à l'extérieur. Les adeptes du jeûne veulent aussi un beau corps, mais ils visent d'abord l'intérieur.

Jeûnes partiels ou modifiés

Par définition, un jeûne signifie que l'on s'abstient de toute nourriture. Une personne qui pratique un jeûne «au jus» ou «aux fruits» décrit une diète particulière qui suggère de limiter sa consommation d'aliments. S'il y a consommation, il ne s'agit donc pas d'un jeûne. Mais il existe plusieurs régimes alternatifs et autant de mots nouveaux qui entrent dans notre vocabulaire santé: jeûne partiel, monodiètes, diètes liquides, etc. Un jeûne total suppose que nous ne consommons que de l'eau ou, au mieux, que de l'eau avec quelques gouttes de jus de citron. Pendant un jeûne «au jus», nous prenons des jus de fruits et de légumes. Un jeûne «aux fruits» ne nous permet que des fruits. Les monodiètes n'autorisent qu'un même aliment par jour. Par exemple, pendant une monodiète «aux pommes», on ne mange que des pommes pendant la journée. Les monodiètes ne se limitent pas aux fruits. Les adeptes de la macrobiotique peuvent ne consommer que du riz brun. Les diètes liquides ont pour base des liquides sans fibres. Le jus en est le premier élément. Mais d'autres diètes liquides peuvent inclure des infusions, des bouillons végétaux, du lait aux amandes ou extrait d'autres noix. Mais tous les liquides doivent être tamisés et ne pas contenir de fibres.

Tous ces jeûnes «modifiés» sont quand même appelés jeûnes pour une bonne raison. Le mot anglais pour jeûne est *fast*, qui vient du germanique *faestan*, signifiant «strict». Et ces diètes sont strictes dans le sens où elles sont limitatives. Toutefois, parce qu'elles permettent certains aliments, elles ne peuvent être appelées «jeûnes» dans le sens exact du terme.

Ces diètes sont quand même très valables. Toutes n'ont qu'un but: purifier et rééquilibrer l'organisme. Elles sont aussi une façon moins draconienne pour les débutants de connaître les bienfaits d'un jeûne sans trop souffrir, le temps de se renseigner davantage et de se rassurer avant de faire le grand saut vers un jeûne total. Merveilleuse manière, donc, de préparer «en douceur» son organisme et son esprit à passer d'une diète sévère à un jeûne complet.

Par où commencer

L'importance de la motivation

Pour obtenir des résultats satisfaisants, vous devez clairement déterminer les raisons qui vous attirent vers le jeûne. Cela peut sembler étonnant, mais il n'est pas rare que des gens jeûnent pour les mauvaises raisons.

L'anorexie, par exemple, est un trouble de la personnalité qui pousse les personnes qui en sont atteintes à cesser de manger pour se conformer à l'image tordue qu'elles ont d'elles-mêmes. Elles se voient obèses et se rendent jusqu'à l'inanition afin de maigrir. La boulimie est un autre problème relatif à l'alimentation: on mange des quantités massives de nourriture pour tout régurgiter par la suite. Certaines personnes voyagent entre le gavage, la purgation et l'anorexie.

Bien sûr, toutes ont tous le désir de retrouver un certain mieux-être, mais le cercle vicieux des excès et des jeûnes successifs engendre un énorme stress et donne très peu de résultats. Il n'y a pas de motivation profonde.

Il y a d'autres raisons, moins draconiennes mais tout aussi malsaines, de jeûner. L'ego et l'image sont les plus populaires. Si Jean peut jeûner pendant 30 jours, Sylvie voudra lui prouver qu'elle peut le faire pendant 40! Votre statut social ne sera pas amélioré parce que vous voulez prouver votre courage aux autres. Les bienfaits du jeûne ne se vivent pas par procuration. C'est votre corps qu'il faut écouter. Les seules raisons valables pour jeûner ne peuvent venir que de vous! La clarté et la pureté de votre attitude face au jeûne le rendront plus facile et plus bénéfique.

Raisons de jeûner

Action politique et sociale
Buts personnels et spirituels
Programme santé personnel
Libération de dépendances alimentaires
Sérieux problèmes dentaires
Guérison du corps, de l'organisme
Désintoxication
Perte de poids

Le jeûne le mieux réussi commence par un désir profond de mieux-être physique ou spirituel. La motivation la plus courante est la guérison de l'organisme. Si les animaux jeûnent naturellement quand ils sont malades, les humains peuvent aussi bénéficier de cette pratique. Au lieu de se bourrer de médicaments qui font disparaître la douleur et d'autres symptômes d'un malaise, mais qui ralentissent le processus naturel de guérison du corps humain, le jeûne va nettoyer le sang, les tissus et les cellules en profondeur. Un jeûne rajeunit!

Même s'il ne constitue pas l'approche idéale à toutes les maladies, la liste est longue de maux pour lesquels le jeûne a fait ses preuves au fil de l'Histoire, malgré le fait qu'il ne soit toujours pas reconnu comme une valeur thérapeutique sûre par la médecine. À cause de cela, malheureusement, aucune recherche sérieuse, aucune expérience n'a été autorisée ni financée pour le connaître et le faire mieux connaître.

Maladies traditionnellement traitées par le jeûne

Allergies: asthme, bronchite, rhume des foins, urticaire, rhumatisme, obésité, insomnie, migraines, inflammations, artériosclérose, haute et basse tension artérielle.

Maladies de la peau: acné, psoriasis, ulcères, furoncles.

Désordres digestifs: problèmes du foie, constipation, calculs rénaux, diarrhée, tumeurs.

Même si vos problèmes ne sont pas aussi sérieux que ceux-là, vous pouvez choisir de jeûner pour viser la désintoxication et un meilleur état de santé. S'il est vrai qu'il vaut mieux prévenir que guérir, le jeûne est un excellent moyen de prévention. Le jeûne périodique maintient le bon fonctionnement de l'organisme à son maximum, de la même façon que l'entretien régulier d'un système de chauffage préviendra un malheur en plein hiver. C'est comme un bon ménage! En plus, le jeûne augmente l'énergie et prolonge la vie. Dans une étude faite sur des souris, celles que l'on soumettait au jeûne tous les trois jours ont vu leur espérance de vie s'accroître de 40 %.

La raison la plus populaire de jeûner: perdre du poids. Le jeûne est probablement le moyen de maigrir le plus satisfaisant parce que les résultats sont rapidement visibles. Il est aussi merveilleux pour contrer les effets de dépendance au café, au sucre, à l'alcool, au tabac et les autres mauvaises habitudes.

Une autre motivation fort répandue: la spiritualité. Pour certains, le seul fait de vivre sans manger tient du miracle. Mais le véritable miracle est celui-ci: l'esprit s'éclaircit, le corps s'apaise, et vous avez accès à un état de conscience plus élevé, où vous entendez, ressentez et pensez des choses qui ordinairement vous échapperaient. Même si vous êtes athée, vous apprécierez cette sensation de bien-être. Excellent défi personnel, le jeûne améliore votre attitude mentale et renforce votre sens de la discipline.

On a souvent utilisé le jeûne comme outil pour forcer certains changements politiques et sociaux. Parce que notre culture associe le jeûne à la mort, ce geste de défi peut venir appuyer une prise de position, attirer l'attention sur celui qui jeûne et sur la cause qu'il défend. Certains «grévistes de la faim» sont devenus célèbres: Bobby Sands, qui a jeûné jusqu'à sa mort; Dick Gregory, qui a couru, le centième jour de son jeûne, sur une distance de près de 25 km; le physicien nucléaire russe Andreï Sakharov; le Mahatma Gandhi, père de l'Inde moderne.

Le jeûne peut soulager les problèmes de gencives et les affections parodontales, une bénédiction quand les visites chez le dentiste sont fréquentes et douloureuses. Personne n'aime manger dans ce temps-là, et le jeûne réduit la douleur et aide à la guérison.

Choisir le bon moment... et le bon endroit

La grande question: quand? Le succès ou l'échec d'un jeûne peut dépendre du moment choisi. Le jeûne, souvenez-vous, nécessite la conservation de l'énergie. Ce serait une bien mauvaise idée de commencer un jeûne alors que vous êtes particulièrement sollicité physiquement, émotionnellement ou mentalement.

Si vous êtes une actrice et que vous devez chaque soir donner le meilleur de vous-même sur scène, le moment est mal choisi. Rappelez-vous que, pour chaque jour de stress, votre désintoxication devra durer une demi-journée de plus. C'est donc dire qu'il vous faudra 15 jours de jeûne «sous tension», plutôt que 10 «tranquilles», pour obtenir la même qualité de désintoxication. Parce que le jeûne n'est pas seulement une question de temps, mais d'énergie. Oui, vous sauvez de l'énergie quand vous n'avez pas à digérer de nourriture, mais si vous dépensez cette énergie pour supporter votre stress émotionnel ou mental, elle n'est plus disponible pour vous régénérer.

Le corps humain est une machine très intelligente. Il se concentre sur les besoins immédiats. Si vous êtes en crise émotionnelle, les muscles vont se tendre, l'adrénaline va se réveiller, le cœur va battre plus vite et la pression sanguine va augmenter. Pas de temps pour soigner autre chose que votre crise émotionnelle. Mais si vous êtes en train de siroter une limonade, étendu dans une chaise longue sur une plage, votre corps dispose de toute l'énergie nécessaire pour un grand ménage intérieur, incluant quelques réparations urgentes. Dehors les cellules mortes et les toxines! Le foie se reconstruit une nouvelle jeunesse. L'intestin grêle et le côlon se débarrassent des matières encombrantes. Et plus encore...

L'idée de la plage est excellente! Pas de meilleur moment que les vacances pour jeûner, puisque le but des vacances est de se reposer. Les plus belles vacances que vous pouvez offrir à votre corps sont un séjour dans une station thermale (au soleil, si possible!), où les eaux minérales, les bains de vapeur, les bars à jus, les fruits frais et l'air pur vous feront le plus grand bien. Il serait bien préférable que nous investissions dans notre santé de cette façon, une fois l'an, plutôt que de s'assurer contre la maladie! Hélas! nos vacances nous amènent le plus souvent à consommer des quantités énormes de nourriture qui, souvent, fait partie des «avantages» que la publicité nous vend.

Si vous prenez vos vacances en hiver, et que vous restez dans le froid, vous ne devriez pas jeûner. La nourriture crée de la chaleur, calculée en calories. Le processus de la digestion est comme une combustion, et nous réchauffe, comme l'exercice et l'activité en général. Si vous êtes inactif, cependant, vous aurez froid et, sans les calories d'une diète normale, vous aurez froid vite. Le corps consume de l'énergie pour créer de la chaleur et se protéger des éléments. D'un autre côté, quand le temps qu'il fait atteint des températures plus confortables pour le corps, celui-ci n'a pas besoin de chaleur additionnelle pour fonctionner.

Le soleil est un guérisseur merveilleux. Votre corps se sent bien dans sa chaleur. Le soleil le relaxe et le nourrit. Mais oui: quand il n'y a pas d'autre source d'alimentation, votre corps, intelligent, magnifique, transforme la lumière en vitamine D et en énergie. Tout comme des panneaux solaires, vous êtes rechargé. Mais attention: si vous êtes affaibli, il vous donnera des forces, mais si vous êtes épuisé, il vous asséchera. Voilà pourquoi l'océan est si populaire auprès des vacanciers. Déplaçant l'air marin, ionisé négativement, une légère brise abaisse la température, en plus d'être chargée d'humidité. Même l'air est énergisant! L'air de l'océan est riche en oxygène, tout à fait nourrissant.

Bon... vous ne voulez pas utiliser vos précieuses vacances. Dommage... Quand, alors? Quand vous vous sentez prêt. Mais, évidemment, évitez le stress, les distractions, les désagréments. Ce n'est pas le moment de jeûner quand vous visitez votre famille à Noël. Comment dire à votre famille: «Désolé, maman, je n'ai rien contre ta cuisine... mais je dois jeûner pour me désintoxiquer de tout ce que tu m'as fait avaler au fil des ans.» Quelle que soit la façon dont vous le direz, ça ne passera pas. Essayez de terminer vos jeûnes avant Noël, Pâques, les anniversaires et les autres occasions spéciales. (Une exception... certains végétariens jeûnent à l'Action de grâce pour montrer leur compassion envers les pauvres dindes qui seront sacrifiées.) Finalement, s'il existe une raison de jeûner qui l'emporte sur toutes les autres, c'est votre enthousiasme. Si vous avez la passion, si vous êtes vraiment décidé, c'est qu'il est temps.

Écoutez votre corps. Il réclamera le jeûne au bon moment, sans se soucier de la saison. S'il choisit l'hiver, emmitouflez-vous, restez au chaud et faites tout ce qu'il faut pour vous protéger des éléments. Rappelez-vous que le stress est la clé. Plus vous vous isolerez des problèmes extérieurs et des soubresauts de la vie quotidienne, plus vous éviterez le stress, mieux et plus vite vous ressentirez les bienfaits de votre jeûne.

Une chose encore... Vous vous souvenez que nous avons parlé du dentiste... Si on vous traite pour des affections buccales ou dentaires, évidemment, vous vivez des moments de stress intense. Cependant, puisque de toute façon vous n'aurez aucun plaisir à manger, aussi bien jeûner.

Diète avant-jeûne

Le but d'une diète «avant-jeûne» est de vous préparer, physiquement et mentalement, au défi que vous allez relever. Normalement, elle dure de un à trois jours. À vous de déterminer sa durée: le temps suffisant pour le corps de faire la transition de la nourriture solide au jus. Cette période est le trait d'union parfait pour ceux qui n'ont jamais jeûné comme pour ceux qui hésitent à commencer.

Un exemple de diète avant-jeûne: un jour à ne consommer que des légumes cuits, des salades, des fruits et des jus. Tout aliment qui entre dans ces catégories est acceptable, mais c'est tout de même une diète limitée puisqu'elle exclut les grains, le pain, les produits laitiers, le poisson et la viande. Le deuxième jour, on allège encore en ne consommant que des salades crues, des fruits et des jus. Le troisième jour, fruits et jus seulement. On se restreint chaque jour un peu plus jusqu'au premier jour de jeûne.

Les fruits et légumes, bien sûr, sont mangés séparément: fruits pour dîner, légumes au souper. Si vous n'avez pas beaucoup de temps, ou que vous êtes un habitué du jeûne, votre diète avant-jeûne peut ne durer qu'un jour, pendant lequel vous ne consommerez que des salades ou des fruits et du jus. Le jus et l'eau doivent toujours faire partie de votre diète avant-jeûne, puis qu'ils seront les éléments essentiels du jeûne à venir.

Un autre type de diète avant-jeûne peut ressembler à la monodiète dont nous avons parlé plus tôt. Une journée aux raisins permettra une bonne désintoxication tout en ayant les avantages de la nourriture solide. Ou alors, un jour au melon, ou aux pommes, ou aux agrumes. Tous ont des propriétés purifiantes et sauront conditionner et préparer votre corps au jeûne. À cause de ces mêmes propriétés, le jeûne pourra même être moins long. Si vous préférez des germinations ou de la laitue, pas de problème, mais pas de saucisse hot-dog! Il faut rester dans la famille des fruits et légumes et les manger crus. Évitez les solanacées: tomates, poivrons, pommes de terre, aubergines. Un riz brun macrobiotique ne saurait faire partie de cette diète: c'est un grain. De toute façon, les adeptes de la macrobiotique ne jeûnent pas.

Une autre manière de faire une diète avant-jeûne serait de sauter un repas ou deux chaque jour. Pendant deux ou trois jours, ne soupez pas. Ou, si c'est plus facile pour vous, rendez-vous au travail sans déjeuner et passez l'heure du lunch à travailler ou à marcher. Souvent, on a peu de temps pour le déjeuner, et on est trop occupé pour dîner convenablement.

Si vous êtes particulièrement sensible au sucre, évitez les fruits. Malgré leur pouvoir de désintoxication, s'il affectent votre pression sanguine, n'en mangez pas. Les fruits acides sont aussi à éviter pour certaines personnes. Les salades sont les plus sécuritaires.

Les diètes avant-jeûne ne sont pas des jeûnes. Vous consommez de la nourriture solide et il n'y a pas de dissociation avec elle, ni physique ni mentale. Toutefois, elles sont bénéfiques et vous conditionnent, physiquement et mentalement, en douceur. Même si vous n'arrivez jamais à jeûner complètement, elles représentent une opportunité non négligeable de vous désintoxiquer.

On y va!

Pourquoi pas? Si vous avez une certaine expérience du jeûne et que vous avez confiance en vous, allez-y! C'est comme plonger dans l'océan. Si vous l'avez déjà fait, vous savez à quoi vous attendre. Ce sera froid pendant les premières minutes, puis ça ira. Vous le savez, vous l'avez déjà expérimenté. Toutefois, si c'est la première fois, vous pouvez choisir d'avancer lentement vers les vagues. La diète avant-jeûne, c'est ça. Mais si vous faites partie de ceux qui, même une première fois, vont plonger malgré tout, ne vous gênez pas pour moi! Vous vous connaissez.

Vous êtes votre propre maître. Vous connaissez votre condition physique et vous savez que vous avez la discipline nécessaire. Évidemment rien ne remplace l'expérience, et ceux qui ont déjà jeûné savent mieux qu'un débutant que le moment est venu. Mais si vous vous êtes bien préparé, votre manière est la meilleure et le meilleur moment est maintenant.

Jeûner...
combien de temps?

Vous savez probablement combien de temps vous souhaitez jeûner. Si quelqu'un vous suggère un jeûne de 30 jours, vous pouvez répondre que ce n'est carrément pas pour vous, ou bien être plus ambitieux et décider d'y aller pour une plus longue période. C'est votre affaire.

La durée d'un jeûne dépend de votre expérience dans cette pratique, de votre force et de votre condition physique, de la nature de vos malaises si vous en ressentez, de vos diètes précédentes, de votre attitude mentale, de votre degré d'intoxication, de votre horaire au travail et dans vos loisirs, de votre environnement et du temps qu'il fait, de votre âge.

Jeûne de courte durée
Fondamentalement, il existe deux types de jeûne: court ou long. Il est court quand il dure moins de deux

semaines. Souvenez-vous que ce qui doit guider votre choix entre un jeûne court ou long, c'est l'assurance qu'il ne présente aucun danger. Il est fort peu probable qu'un jeûne de moins de deux semaines crée des dommages irréparables, même si vous faites quelque chose de travers. Cependant, si vous vous acharnez à répéter les mêmes erreurs pendant plus de 30 jours, vous pourriez vous faire du mal.

Un jour par semaine

Jeûner un jour par semaine est une excellente habitude qui vous récompensera par un système immunitaire plus fort, une espérance de vie prolongée et une vigueur renouvelée. Donnez congé à votre organisme. Jour après jour, vous le surmenez sans relâche. Les petits ouvriers qui vivent dans votre estomac doivent travailler jour et nuit pour trier ce que vous ingérez sans compter, puis l'acheminer correctement dans des dizaines de mètres d'intestins et des kilomètres d'autoroutes circulatoires. Ils méritent bien une journée de congé! Et il vaut mieux la leur offrir, parce que vous savez ce qui arrive quand ils décident de faire la grève!

Une journée de congé... c'est 24 ou 36 heures — tout dépend de votre point de vue. Pour 24 heures de repos, commencez à jeûner le mardi en esquivant le souper, puis le déjeuner et le dîner de mercredi. Puis soupez mercredi. Ce n'est pas difficile, surtout que vous avez dormi (et très bien) 8 heures sur 24. Occupez-vous, et vous pourrez même ne pas vous rendre compte que la nourriture vous manque. Votre corps, lui, s'en rendra compte et vous en sera reconnaissant.

Pour un jeûne de 36 heures, commencez mardi après le souper. Ne mangez rien de solide mercredi, et offrez-vous un bon petit-déjeuner jeudi. Bon, vous avez perdu trois repas, mais vous avez dormi 16 heures! Pas si dur, après tout. Et puis c'est excellent pour la discipline et la désintoxication. Et même quand vous dormez, le corps travaille, choisissant avec soin ce dont il a besoin et éliminant sans pitié les déchets nocifs.

Tout le monde peut faire un jeûne d'un jour. Évaluez les avantages de le faire une fois par semaine. En un an, vous aurez jeûné pendant 52 jours! Votre organisme vous remerciera et vous vivrez plus longtemps. Un jour rien que pour vous. C'est possible. Choisissez-en un qui ne dérange l'horaire de personne. Qui ne soit pas un jour de fête. Après tout, vous ne voulez pas être le «casseur de party», un samedi soir, en refusant de boire et de manger sous prétexte que vous jeûnez pour améliorer votre santé. Vous seriez mal vu. Et même si vous vous sentez unique et avez envie de raconter votre expérience au monde entier, ce n'est que votre ego qui s'exprime. Le jeûne n'a rien à voir avec ça! C'est personnel.

Cela dit, si le jeûne d'un jour vous convient, essayez de le faire chaque fois le même jour, et ne le déplacez pas plus d'une journée si c'est absolument nécessaire. Si votre jour de jeûne est lundi, pour contrer les effets des excès du week-end, ne le remettez pas à plus tard que mardi.

Une variation du jeûne de 24 heures est le jeûne qui se fait un jour sur deux. Ceux qui veulent maigrir le pratiquent avec succès. Vous mangez mais, forcément, la moitié seulement de ce que vous mangez d'habitude, et les jours de jeûne laissent tout le temps à votre organisme de traiter et d'éliminer la nourriture. Évidemment, ne vous empiffrez pas entre les jours de jeûne! Si c'était le cas, ce genre de régime ne serait pas pour vous.

Trois jours et plus

Un autre type de jeûne court est celui qui dure généralement trois jours. Il s'agit en fait de prolonger le jeûne d'un jour, qui vous aura servi à vous faire à l'idée que vous pouvez survivre sans nourriture.

Le premier jour, bien sûr, est le plus difficile. Un peu plus facile si vous avez fait une diète avant-jeûne. Il n'en demeure pas moins un moment de transition, et puisque vous l'avez passé, pourquoi ne pas aller plus loin et en profiter davantage? Trois jours de jeûne représentent un congé fort appréciable si vous avez un peu abusé de votre système gastrique, et les effets de ce congé seront tout aussi appréciés.

Les jeûnes de un et de trois jours sont très efficaces pour briser les mauvaises habitudes et les excès alimentaires de toutes sortes. Particulièrement lorsque vous avez trop mangé, par simple gourmandise, ou parce que vous avez été invité à une fête spéciale où on vous a gavé de milliers de calories inutiles.

N'attendez pas. Un jeûne court, même d'un seul jour, est pour vous. Non seulement il vous remettra sur pied, mois vous retrouverez un appétit tout neuf et le plaisir de manger.

Une semaine — dix jours — deux semaines

Ces jeûnes plus longs, bien qu'ils soient toujours considérés comme «courts», vont commencer à vous faire percevoir le rythme, les sensations et les réactions physiologiques provoquées par un véritable jeûne. Et ils ne sont pas plus difficiles à faire. Si vous êtes en harmonie avec votre jeûne, c'est-à-dire si vous vous sentez bien, et que vous avez envie de le prolonger, il n'est pas plus ardu de jeûner sept, dix ou quatorze jours.

Les trois premiers jours représentent la partie la plus pénible, alors que le corps s'adapte à son nouveau régime. Cette transition est à la fois un processus physique pour votre estomac et une tâche mentale et émotionnelle pour vous. Physiquement, votre corps s'ajuste: plutôt que de transformer des calories venues de l'extérieur en énergie, il puise à même les ressources qu'il a entreposées.

Imaginez un employé de bureau dont la table de travail déborde de papiers et de chemises. Chaque jour, d'autres documents s'ajoutent aux premiers. Monsieur Untel attend impatiemment le moment où le travail cessera de s'accumuler et où il pourra enfin se mettre à jour. Votre organisme travaille de la même façon. Il possède des réserves qui pourraient vous permettre de survivre sur une période impressionnante. Il faut d'abord se débarrasser du surplus avant de commencer à utiliser les réserves. Le jeûne de trois jours s'occupe de ça.

Après, c'est comme pour le jogging: passé les cinq premiers kilomètres, le corps se branche sur le pilote automatique et court sans effort. Il y a aussi, pendant les trois premiers jours, cette impression de vide, normale quand on est habitué de se remplir l'estomac à pleine capacité. Cela aussi disparaîtra. C'est une question d'ajustement.

Alors que les jeûnes de 1 ou 3 jours permettent à votre organisme de faire un premier ménage, les jeûnes de 7 à 14 jours accomplissent un travail de nettoyage en profondeur, comprenant l'élimination des cellules mortes et une part de reconstruction des tissus.

Maintenant, soyons sérieux: il y des gens qui ne jeûneront jamais pendant 30 jours! Si une ou deux semaines de jeûne sont tout ce que vous pouvez endurer, profitez-en le plus possible. Mais essayez de jeûner au moins une fois par année. Chaque printemps ou chaque automne. Choisissez un moment et faites-le régulièrement. Après tout, les effets d'un jeûne ne durent pas éternellement. Le fait d'avoir jeûné pendant 45 jours il y a 8 ans n'a plus d'incidence sur votre état de santé actuel. Vous devez jeûner régulièrement. Comme vous devez manger régulièrement. Jeûner deux semaines, une fois par année, est une excellente décision.

Jeûne prolongé

Un jeûne excédant deux semaines est généralement considéré comme long et, dans ce cas, l'expérience est un atout et la prudence est de mise. Vous vous préparez à partir en voyage, et vous devez d'abord vous débarrasser de votre peur de l'inconnu. Étudiez, planifiez, consultez. Faites des contacts préliminaires avec des professionnels de la santé qui sont ouverts aux bienfaits du jeûne: chiropraticiens, naturopathes, homéopathes, physiothérapeutes, ostéopathes. Ils seront très utiles et certainement de bon conseil. Consultez votre médecin de famille pour un survol de votre état de santé général, surtout si vous avez des problèmes sérieux. L'expérience, quant à elle, ne peut s'acquérir qu'en vous plongeant dans ce qui vous intéresse.

Les jeûnes prolongés vont réparer et reconstruire l'organisme, encourager les fonctions d'élimination et de rajeunissement, et sont généralement conseillés pour aider les troubles chroniques comme l'arthrite, l'asthme, l'artériosclérose, les ulcères, le psoriasis, les tumeurs, le rhume des foins, l'urticaire, les migraines, les rhumatismes, l'obésité, la haute tension, etc.

Ces problèmes sont bien ancrés, mais il n'est pas impossible de jeûner 30, 45, 60, 75 jours ou plus pour vous guérir. Ce ne sont pas tous les troubles qui seront effacés dans ces moments. Mais aussi long que le jeûne puisse vous sembler, il est court si vous le comparez à une vie de malaise. En fait, plusieurs jeûnes sont parfois nécessaires pour arriver à un bien-être complet.

Un seul jeûne prolongé pourra certainement atténuer les symptômes et adoucir la douleur dans la plupart des cas, ce qui, déjà, rendra le processus de guérison plus souple pour l'organisme dans les périodes d'alimentation normale. Ceux qui pratiquent le jeûne prolongé ont parfois l'impression de renaître et échangeraient volontiers 75 ou même 100 jours de nourriture contre les bienfaits qui résultent de cette abstinence.

Changements chimiques durant le jeûne

Chimiquement, les effets de votre jeûne se divisent en trois étapes. Les premiers jours sont surtout consacrés à la réorientation de votre organisme. Votre système commence à transformer le pH de votre estomac pour le rendre plus alcalin. L'estomac se contracte et le système digestif se nettoie. C'est aussi à cette étape que vous connaîtrez une perte de poids spectaculaire. Eau, minéraux — sodium et potassium, surtout —, vitamines hydrosolubles sont sécrétés en grande quantité. La perte de protéines atteint 75 grammes par jour au début, puis descend à 20 grammes par jour plus tard. Faim, maux de tête, étourdissements, sueur abondante sont des symptômes que vous pouvez expérimenter, et vous urinerez beaucoup plus souvent que d'habitude.

À la seconde étape, le foie commence à se purger de tous ses poisons chimiques et toxiques et les rejette dans le sang pour les éliminer. Tous les symptômes d'une grippe vous assailliront: nausées, fatigue extrême, diarrhée, douleurs musculaires, nervosité, souffle court, tremblements... Vous aurez la langue épaisse, mauvaise haleine, une peau malodorante ou des éruptions cutanées.

Fondamentalement, votre corps combat plein de polluants comme si vous veniez de les ingérer. Les poisons font mal deux fois: en entrant et en sortant de votre système. Ils ont des origines diverses: drogues illicites, médicaments de prescription, agents de conservation, saveurs et colorants artificiels, pesticides agricoles, ou encore, sous-produits de cuisson ou effets de mauvaises combinaisons alimentaires. Un processus de guérison comprend parfois une brève descente vers le pire avant la remontée vers le mieux.

C'est vraiment à la troisième étape que le nettoyage en profondeur des tissus commence, que les toxines du sang sont éliminées et que les reins rejettent les cendres cellulaires et les débris organiques qu'ils contiennent. Certains des symptômes que vous avez connus aux deux premières étapes peuvent réapparaître entre deux poussées d'énergie. Mais peu à peu vous allez éprouver un profond sentiment de bienêtre.

C'est que le miracle se produit: la désintoxication de vos organes et la régénération de votre système. C'est un mélange d'émotions de toutes sortes: stress et euphorie, irritabilité ou amélioration de votre attitude mentale et de votre amour-propre.

Le jeûne à l'eau

« J'aimerais que vous puissiez vivre du parfum de la terre et, telle une plante aérienne, vous nourrir de la lumière. »

— Khalil Gibran, *Le prophète*

Quand les gens pensent «jeûne», ils pensent automatiquement qu'ils devront boire de l'eau, et seulement de l'eau. Toutefois, ce genre de jeûne n'est pas pour tout le monde. Un jeûne à l'eau est particulièrement difficile et requiert une maîtrise parfaite des conditions et des circonstances.

Le repos

Le mot clé, ici, est «repos». Il signifie un arrêt de toute activité, aucun stress et, idéalement, un endroit propre, sain où se reposer. Solitude et silence sont de précieux atouts. Ne pensez qu'à vous. Évitez de parler. Fermez radio et télévision. Ne conduisez pas (vos réflexes sont alors plus lents). Prenez des bains de soleil. Faites du yoga. Étendez-vous dans l'herbe et laissez la Nature absorber vos poisons et équilibrer votre aura. Soyez prêt à découvrir certains de vos talents psychiques.

Choisissez un lieu où l'air frais abonde, près de l'océan ou sur une montagne. Pour pratiquer un jeûne, quel qu'il soit, mais tout spécialement un jeûne à l'eau, vous devez vous en remettre corps et âme au repos. C'est une sorte d'hibernation humaine. Toute votre énergie doit servir uniquement à votre désintoxication et à votre guérison.

Exigences pour un jeûne à l'eau

Personnelles: soyez discret, évitez la radio et la télé, prenez des bains de soleil, étendez-vous dans le gazon, faites du yoga, enivrez-vous d'air frais, reposez-vous, fuyez le stress, lisez des ouvrages sur le jeûne et la spiritualité. Une certaine expérience du jeûne est souhaitable.

Environnementales: éloignez-vous de la pollution, recherchez la mer ou la montagne, la forêt ou la campagne, et si vous le pouvez, allez sous les tropiques!

Ordinairement, chaque nuit, pendant votre sommeil, une dégradation moléculaire et un nettoyage général de l'organisme s'opèrent. Le jeûne permet à ce processus de catabolisme de se prolonger pendant le jour, activité généralement stoppée par l'activité et le stress. L'énergie est distribuée aux muscles et au système digestif.

L'activité musculaire exige la suppression des acides lactiques, des acides pyruviques et d'autres sous-produits. La digestion, en retour, ordonne la sécrétion de fluides par certaines glandes. Le système nerveux reçoit et distribue les signaux. Le foie catabolise les produits chimiques, se débarrasse de toute matière inutile ou la neutralise, et une activité musculaire interne s'accomplit dans l'estomac et les intestins. Un lourd travail pour l'organisme!

Alors, puisque vous ne recevez pas les calories et les nutriments nécessaires à ce genre d'activité pendant un jeûne, votre corps est tendu à l'extrême, et le jeûne peut vous faire plus de mal que de bien.

Parlant d'activité... Toute activité sexuelle devrait être évitée pendant un jeûne, jusqu'à ce que vous retrouviez toutes vos forces. Le sexe dirige toute l'énergie disponible vers les organes sexuels pour les stimuler. C'est un pas en arrière dans le processus du jeûne et un stress inutile et superflu pour votre système, puisque vos organes sexuels sont dormants et auraient besoin d'être revitalisés, ce qui nécessiterait un effort que votre organisme ne peut pas se permettre.

Soyons clairs: l'auteur de ce livre est parfaitement en faveur du jeûne à l'eau. Mais seulement pour ceux qui sont prêts à le pratiquer correctement, à l'intérieur de ses limites, et dans les meilleures conditions possibles.

Si vous êtes fait pour un jeûne à l'eau, vous allez vous en rendre compte. C'est une décision pratiquement biologique! Le jeûne au jus va vous dégoûter.

Vous allez naturellement préférer vous en tenir à l'eau. C'est une question de préférence. Et si ce genre de jeûne est pour vous, vous le trouverez facile. Sinon, vous n'arriverez jamais à le faire. Ça vous paraîtra impossible. De nos jours, la plupart des gens préfèrent le jeûne au jus ou un autre régime. Le jeûne à l'eau est vraiment destiné à ceux qui ont toujours vécu près de la nature, ont toujours privilégié une alimentation saine et naturelle, et veulent améliorer leur bien-être, tant physique que spirituel.

Si vous croyez que ce genre de jeûne est pour vous, préparez votre organisme et offrez-vous d'abord une diète avant-jeûne qui vous convienne. Et n'oubliez pas de boire beaucoup d'eau! Au moins un verre toutes les heures.

Le respirianisme

Le respirianisme, le nom le dit, laisse deviner qu'il s'agit du jeûne ultime. Non seulement vous ne mangez pas, mais vous ne buvez pas non plus, même pas de l'eau. Qu'est-ce qui reste? L'air, le soleil et l'amour.

Ce genre de jeûne exige un environnement parfaitement pur, sans aucune pollution. Le silence et la solitude sont également fort souhaitables, sinon essentiels.

Évidemment, ce jeûne n'est pas pour tout le monde. En fait, très peu de gens le réussiront. Mais si vous êtes de ceux qui aiment tenter de nouvelles expériences, devenez d'abord un familier du jeûne à l'eau puis, pendant votre prochain jeûne, choisissez un jour où vous ne boirez pas. Mais rappelez-vous qu'avant de tenter l'expérience du respirianisme, vous devez savoir sans l'ombre d'un doute que vous êtes prêt.

Le jeûne au jus

Est-ce vraiment un jeûne?

Disons-le tout de suite: le jeûne au jus n'est pas un véritable jeûne mais une diète liquide d'élimination. Voilà pour la terminologie. En fait, cela signifie que sans consommer de nourriture solide vous vous désintoxiquez et perdez du poids. Nous allons donc nous éloigner un peu de sa définition traditionnelle et quand même utiliser le mot «jeûne» pour nommer cette diète.

Pourquoi le jeûne au jus?

Parce que c'est une façon idéale pour les débutants de commencer à jeûner, et une autre façon fort intéressante de faire un jeûne pour ceux qui le pratiquent déjà. Contrairement au jeûne à l'eau, le jeûne au jus vous procure calories et nutrition, et vous protège, au moins partiellement, contre le stress dû au travail et aux activités quotidiennes.

En d'autres mots, vous n'avez pas à passer vos vacances à jeûner, vous pouvez le faire en travaillant. J'appelle ça le *Big Apple Fast* («le jeûne de la Grosse Pomme», car en anglais, on surnomme New York «The Big Apple»), parce qu'il vous procure assez d'énergie pour travailler normalement, tout en vous protégeant des toxines et du stress même quand vous êtes confronté à la pollution des grandes villes. Les jus sont des élixirs nutritionnels concentrés qui vous nourrissent et vous donnent l'endurance dont vous avez besoin sans vous obliger à changer votre style de vie.

Concentration et assimilation

Rien n'est plus nourrissant que le jus. Imaginez un repas d'épinards, de persil, de germinations, de tomate, de citron, de céleri, de radis, de poivron vert et de concombre. Normalement, si vous prenez en considération l'état de votre système digestif, vous seriez chanceux de digérer 70 % de votre repas. Cependant, si vous pouvez extraire le jus de tous ces aliments, vous pourrez assimiler et absorber 99 % cent de leur valeur nutritive même si vous avez une digestion faible!

La beauté de ce phénomène est que le jus nécessite très peu d'énergie digestive, d'où le fait qu'il convienne si parfaitement au jeûne. Toute cette quantité de nourriture concentrée dans un verre, plus facile à assimiler que jamais: voilà le miracle du jus.

Prenez des carottes, par exemple. Il faut un demi-kilo (1 livre) de carottes pour obtenir 300 grammes

(10 onces) de jus délicieux. Mais... pourriez-vous avaler autant de carottes? Certainement pas! Pourtant, toutes les enzymes, les vitamines hydrosolubles, les minéraux et les oligoéléments sont contenus dans le jus que vous en avez extrait.

C'est le concept des vitamines en comprimés: une concentration de nutriments dans une pilule. Mais ce n'est pas la même chose. De la plante qui la contenait originalement à la capsule qu'on trouve en pharmacie, la vitamine a subi des traitements de toutes sortes. Certains de ces traitements nécessitent de la chaleur, qui détruit ou altère les nutriments. Des solvants chimiques sont parfois utilisés. Et vous savez comme moi que ce qu'on nous vend est parfois plus synthétique que naturel. Sans compter que pour fabriquer ces comprimés, il faut impérativement ajouter des agents autres que les ingrédients actifs. Ce sont des excipients. Ils se nomment édulcorants, stabilisateurs, agents colorants ou agglomérants, talc, etc. Nous sommes loin d'un verre d'épinards frais! Si vous voulez vous régénérer, choisissez de la nourriture vivante: le jus de plantes vivantes.

Fibre

Autre chose: comme on fait sans cesse l'éloge de la consommation d'aliments complets, plusieurs personnes s'interrogent quant à la valeur nutritionnelle du jus. La question, posée autrement, ressemble à celle-ci: si les fibres contenues dans la carotte sont bonnes pour la santé, pourquoi s'en débarrasser?

Soyez certains que je suis en faveur de la promotion des aliments complets. On fait cette promotion depuis le temps où l'on s'est mis à retirer le son et le germe de la farine de blé, la mélasse du sucre, etc. Ces procédures, aussi multiples que différentes, comprenaient l'utilisation de produits chimiques et la destruction d'éléments vitaux.

Le jus, au contraire, retient les nutriments essentiels de la nourriture et les rend plus digestibles. Les fibres contenues dans les carottes sont effectivement importantes, et consommer des carottes crues est excellent pour la santé. Mais cela ne diminue en rien la valeur d'un bon jus frais.

Mangez des légumes et des fruits frais. Considérez votre jus comme un supplément vitaminique ou comme un remède. Mais quand vous jeûnez, les jus sont vos repas.

Les types de jus

Une diète au jus diffère grandement d'un jeûne à l'eau parce qu'elle propose toute une multitude de saveurs. Vous ne serez jamais désabusé par un jeûne au jus. En fait, vous risquez d'y prendre goût au point de vous demander ce que vous sacrifiez!

Jus de fruits frais

Jeûne à part, quand nous pensons jus, nous pensons jus de fruits. Le jus d'orange est le jus le plus consommé au monde, suivi de près par le jus de pomme. Les jus de pamplemousse, de raisin, de prune et de canneberge sont aussi très populaires. Le jus de tomate également, bien qu'elle soit considérée comme un légume, malgré sa vraie nature de fruit.

Vous pouvez prendre un jus de fruits à n'importe quel moment de la journée. C'est un excellent petit-déjeuner, un lunch énergisant et un goûter santé dans la soirée. Considérez vos jus comme des repas. Prenez-en autant que vous voulez. Généralement, la quantité variera entre 250 ml (8 oz) et 500 ml (16 oz). Jamais plus que 625 ml (20 oz). Ne vous gavez pas de jus, de la même manière que vous ne le feriez pas de nourriture. Une portion de 300 ml (10 oz) est amplement suffisante.

Les jus de fruits devraient être mélangés à d'autres jus pendant la journée. Un ou deux jus de fruits sont suffisants. Certaines personnes choisissent d'en prendre beaucoup moins. C'est un choix qui vous appartient et qui doit être guidé par une bonne connaissance de votre état de santé. (Attention si vous êtes sensible au sucre.)

Mélanges

Vous pouvez choisir de mélanger vos jus de fruits ensemble. Il existe des combinaisons merveilleuses!

Pomme et poire

Pomme, poire et ananas

Orange et pamplemousse

Pomme et melon d'eau

Pomme et prune

Pomme et canneberge

Pomme et raisin

Les fruits, en tant que groupe alimentaire, sont excellents pour nettoyer et purifier votre organisme. Leur haute teneur en eau irrigue votre système digestif, vos reins, et purifie votre système sanguin. Plusieurs fruits, les agrumes tout spécialement, sont de puissants solvants. Le citron étant le plus fort, suivi par la lime, l'ananas et le pamplemousse. Tous ont des effets purgatifs sur le foie et la vésicule biliaire.

L'ananas contient l'enzyme bromélaïne, qui encourage la sécrétion de l'acide hydrochlorique et aide à la digestion des protéines. Le raisin, un fruit sous-acide, est un puissant nettoyant. Vous vous en rendrez compte si jamais vous faites du jus de raisin frais. Si vous utilisez la variété naturelle avec pépins, vous devrez le diluer dans l'eau pour le boire. Le raisin Concorde est le plus fort.

Les pommes sont aussi des balais intestinaux fort appréciables. Elles contiennent les acides maliques et galacturoniques, qui pulvérisent les impuretés, et de la pectine, qui prévient la putréfaction des protéines. Elles agissent en douceur tout le long du système digestif pour le nettoyer. C'est pour cette raison que plusieurs personnes choisissent la pomme pour faire une monodiète.

La canneberge est un excellent diurétique dont l'amertume est bénéfique pour les reins. Le melon d'eau est aussi un très bon diurétique surtout si vous passez l'écorce à la centrifugeuse. Et pourquoi pas? Votre machine peut transformer cette partie normalement immangeable en jus frais. Le jus de prune et d'abricot assouplit les intestins et encouragent leur activité.

Attention aux baies (fraises, framboises, bleuets...) et aux oranges. Plusieurs personnes sont allergiques aux baies. Vous ne voulez pas avoir les yeux rouges ou des démangeaisons cutanées quand vous jeûnez! De toute façon, ces fruits ne donnent que peu de jus. Vous pouvez expérimenter autant que vous le désirez, même avec des fruits qui ne sont pas mentionnés ici. Apprenez à connaître ceux qui risquent de provoquer des réactions allergiques, et évitez ceux dont on ne peut tirer du jus.

À ne pas presser!

Papaye, noix de coco, banane, fraise, cantaloup, melon miel, pêche, pruneau, abricot et avocat ne vous donneront jamais de jus. «Mais comment?», objecterez-vous... Puisque vous avez déjà bu des jus de papaye, pomme et banane, pomme et fraise, pomme et abricot, ananas et noix de coco... Mais non! La pulpe de ces fruits ne se sépare pas facilement de leur jus. Essayez de passer une banane dans la centrifugeuse... Vous obtiendrez un liquide épais, peu appétissant. Loin d'être un jus de fruits! Le jus de papaye, par exemple, n'existe pas. Ce n'est pas un jus! Les manufacturiers mélangent la pulpe de la papaye avec de l'eau, des édulcorants et le jus d'autres fruits, comme la pomme ou le raisin. Les baies donnent si peu d'eau et de jus qu'il faudrait des quantités énormes de fruits pour produire un litre de jus. Alors les compagnies qui en fabriquent ajoutent de 70 à 80 % de jus de pomme ou de raisin à leur «cocktail aux petits fruits». Ce ne sont pas des jus mais du jus avec de la pulpe. Certains fabricants l'indiquent sur les étiquettes. Les mots «boisson» ou «cocktail» sont des mots passe-partout pour vendre. Lisez les étiquettes des produits que vous consommez.

Une boisson à la noix de coco est faite de pulpe de noix de coco additionnée d'eau et d'édulcorant. Le lait de noix de coco est l'eau sucrée qui se forme naturellement à l'intérieur du fruit. C'est par ailleurs tout à fait délicieux et parfait pour un jeûne, mais c'est cher et ça ne se conserve pas, alors la seule façon d'en boire est de s'armer d'un marteau et d'un couteau.

Le melon d'eau est un fruit merveilleusement juteux, mais ce n'est pas le cas des autres melons. Le cantaloup et le melon miel sont trop pulpeux. Le liquide produit est trop épais et contient à peu près toutes les fibres du fruit. Il vaut mieux les manger entiers.

N'essayez même pas de mettre des pruneaux dans votre centrifugeuse. Même après avoir enlevé les noyaux, votre pauvre machine travaillera pour rien. Le jus de pruneau est obtenu en faisant tremper des prunes séchées, dont on retire l'eau par osmose. Le produit recueilli est donc un extrait, pas un jus.

Aucun fruit séché, comme la figue ou le raisin, ne produira de jus. Mais vous pouvez les faire tremper et apprécier les saveurs, les sucres et les nutriments qu'ils libèrent dans l'eau. Faites tremper 250 ml (1 tasse) de raisins secs dans 250 ml (1 tasse) d'eau de 8 à 10 heures. Ils seront délicieux et parfaits pour un jeûne.

Jus pasteurisé contre jus frais

Ne soyez pas trop pressé de boire du jus de fruits à moins de le faire vous-même. Les jus en bouteille doivent être pasteurisés avant de se retrouver sur une tablette de supermarché. Ça veut dire quoi? Les jus pasteurisés sont bouillis, désinfectés, débarrassés de toute bactérie et organisme dangereux. Malheureusement, plusieurs enzymes et vitamines sont également détruites dans le processus.

Pendant votre jeûne, les jus représentent la seule nourriture que vous prenez. Vous ne pouvez pas vous permettre de boire des jus dénaturés et appauvris. Ne vous laissez pas séduire par le bon goût et les associations de saveurs appétissantes. Même s'ils sont délicieux, ce sont des aliments morts. Il ne reste que du sucre, de l'eau et un parfum quelconque. Même le goût et la couleur sont de piètres imitations du jus fraîchement pressé.

Quel jus d'orange préférez-vous? Le jus frais ou en bouteille? Si vous aimez vos jus frais, vous serez stupéfaits par la différence entre le jus de pomme frais et le jus de pomme embouteillé. Le jus de pomme frais est blanc, comme le fruit dans lequel vous croquez. Le jus de pomme embouteillé est brunâtre parce que ses vitamines ont été oxydées au contact de l'air. La lumière et l'air peuvent facilement détruire des éléments vivants des fruits qui y sont exposés. Passez vos pommes à la centrifugeuse et goûtez la différence!

Souvenez-vous du mot «embouteillé». Tous les jus vendus en bouteilles sont pasteurisés, mais certains se vendent aussi dans des contenants de plastique ou de carton ciré. Le terme «cidre» est employé pour le jus de pomme vendu dans des cruches en plastique. Le mot cidre signifie que le jus n'a pas été pasteurisé et est vraiment du jus frais. Il est donc périssable et vous devriez lire attentivement les étiquettes pour vous assurer qu'aucun agent de conservation n'a été ajouté. En fait, si vous voyez le mot «cidre» sur une bouteille de jus de pomme, le terme est incorrect et trompeur. Les manufacturiers s'en tirent sans poursuites parce que certains termes sont librement utilisés depuis toujours, sans signification précise, et ne sont touchés par aucune législation. Vous pouvez boire du cidre (non alcoolisé) pendant votre jeûne. Achetez-le en cruches de plastique: c'est du jus de pomme frais. D'ailleurs vous en aurez la preuve quand la fermentation du cidre fera gonfler le contenant. Attention, donc, au moment de l'achat: si le contenant est déjà dur, c'est que la fermentation est commencée. Choisissez les contenants encore flexibles pour être certain de la fraîcheur de leur contenu. Les contenants de carton ciré permettent aussi une certaine expansion, mais la majorité de ces contenants ont quand même été pasteurisés. Le jus frais est presque exclusivement vendu dans des cruches en plastique, parce que des contenant de verre risqueraient d'exploser sur les tablettes.

Combos aux carottes

Le jus de carotte est probablement le jus le plus populaire des adeptes du mouvement pour une alimentation saine. Il y a quelques années, ça ne se trouvait à peu près pas. Aujourd'hui, c'est tout à fait «in»! Les bars à jus et les boutiques de produits naturels où on en vend se sont multipliés. Des camions réfrigérés en distribuent à travers le pays. Il est disponible, congelé, partout. Depuis quelque temps, ses consommateurs sont aussi assurés de ses bienfaits par les chercheurs scientifiques, qui ont découvert que le bêta-carotène contenu dans la carotte est un ingrédient agissant contre le cancer.

Mais est-ce que le jus de carotte est si extraordinaire? Oui et non. Il est aussi bon pour vous que... les carottes! Mais... n'oubliez pas tous ces autres légumes fabuleux: épinard, betterave, persil, poivrons, etc., qui sont tous nourrissants. La carotte est le légume le plus sucré (certains disent que c'est le plus joli), mais les épinards contiennent plus de protéines et de vitamine A. Alors... pourquoi choisir? Mélangez-les!

Voici quelques exemples de combinaisons possibles.

Carotte et betterave
Carotte, betterave et poivron vert
Carotte, betterave, poivron vert et concombre
Carotte, betterave, poivron vert, concombre et persil

Carotte, pomme

Carotte, pomme et germes de luzerne

Carotte, pomme, germes de luzerne
    et écorce de melon d'eau

Carotte, pomme, germes de luzerne,
    écorce de melon d'eau et gingembre

Carotte et épinards

Carotte, épinards et fanes (feuilles) de carotte

Carotte, épinards, fanes de carottes et aloès

Carotte et chou

Carotte et patate sucrée

Carotte, chou et persil

Carotte et germes de tournesol

Et tant d'autres combinaisons possibles!

Quelle quantité? Combien de fois?

Buvez du jus jusqu'à ce que votre estomac soit satisfait. Aucun danger à expérimenter un ventre plein! Généralement, 300 ml (10 oz) par repas suffisent. Toutefois, si vous avez très soif, vous pouvez avoir besoin de 500 ml (16 oz) pour vous désaltérer. Plus de 625 ml (20 oz): votre corps demande de la nourriture! Signe qu'il est temps de terminer votre jeûne.

Combien de fois par jour? Une ou deux fois. Mais ce n'est pas une règle immuable. Si cela vous convient, buvez un combo aux carottes une fois tous les deux jours. Il y a tant d'autres combinaisons de jus délicieuses.

Le jus et le sucre

Si vous aimez les combos aux carottes, buvez-en davantage. Souvenez-vous cependant que le jus de carotte est sucré et que trop de sucre est mauvais même s'il provient de fruits frais. C'est un des avantages des combos aux carottes. Les carottes seules seraient trop sucrées. Vous pourriez même ressentir un mal de dents ou être victime d'une attaque d'hypoglycémie.

Attention: sans l'influence de la nourriture solide, votre organisme est plus vulnérable à la dépendance au sucre. Ajoutez différents légumes à vos carottes, spécialement les verts, pour diminuer le taux de sucre dans votre jus, ou diluez-le avec de l'eau.

Ce n'est pas tout. Cela vous permet aussi de varier la nourriture que vous prenez, et c'est important quand vous jeûnez.

À propos, il est tout à fait approprié de boire des combos sucrés comme ce mélange de carottes, betteraves, pommes et écorce de melon d'eau. Tout dépend entièrement de vous, de vos préférences et de vos dispositions. Mais si vous exagérez vous pouvez abaisser le taux de sucre dans votre sang, ce qui pourrait occasionner des fringales qui seraient nuisibles à votre santé et à l'efficacité de votre jeûne.

Proportions

La carotte domine toujours. Par exemple, pour un combo carotte-betterave-pomme-écorce de melon d'eau de 300 ml (10 oz): 150 ml (5 oz) de jus de carotte,

30 ml (1 oz) de jus de betterave, 60 ml (2 oz) de jus de pommes et 60 ml (2 oz) d'écorce de melon d'eau.

Recettes de combinaisons
pour 375 ml (12 oz) de jus

Carotte: 150 ml (5 oz)
Betterave: 60 ml (2 oz)
Poivron vert: 60 ml (2 oz)
Concombre: 60 ml (2 oz)
Persil: 30 ml (1 oz)

Carotte: 240 ml (8 oz)
Betterave: 30 ml (1 oz)
Germes de brocoli: 30 ml (1 oz)
Céleri: 60 ml (2 oz)

Carotte: 240 ml (8 oz)
Céleri: 90 ml (3 oz)
Coriandre: 15 ml (1/2 oz)
Ail: 15 ml (1/2 oz)

Carotte: 210 ml (7 oz)
Persil: 60 ml (2 oz)
Concombre: 60 ml (2 oz)
Radis: 30 ml (1 oz)

Carotte: 150 ml (5 oz)
Pomme: 60 ml (2 oz)
Germe de luzerne: 75 ml (2 1/2 oz)
Écorce de melon d'eau: 60 ml (2 oz)
Gingembre: 15 ml (1/2 oz)

Carotte: 210 ml (7 oz)
Épinards: 90 ml (3 oz)
Fanes de carotte: 30 ml (1 oz)
Aloès: 30 ml (1 oz)
Carotte: 150 ml (5 oz)

Céleri: 60 ml (2 oz)
Betterave: 30 ml (1 oz)
Épinards: 60 ml (2 oz)
Chou: 30 ml (1 oz)
Poivron vert: 30 ml (1 oz)

Carotte: 180 ml (6 oz)
Épinards: 60 ml (2 oz)
Chou frisé: 60 ml (2 oz)
Poivron rouge: 60 ml (2 oz)

Carotte: 180 ml (6 oz)
Céleri: 90 ml (3 oz)
Betterave: 30 ml (1 oz)
Épinards: 60 ml (2 oz)

Carotte: 180 ml (6 oz)
Tomate: 60 ml (2 oz)
Céleri: 60 ml (2 oz)
Épinards: 60 ml (2 oz)

Carotte: 210 ml (7 oz)
Épinards: 60 ml (2 oz)
Betterave: 30 ml (1 oz)
Chou: 60 ml (2 oz)

Carotte: 180 ml (6 oz)
Persil: 60 ml (2 oz)
Épinards: 60 ml (2 oz)
Chou frisé: 60 ml (2 oz)

Une tasse de jus de carotte...
Pour 250 ml (8 oz) de jus

Eau: 219,0 ml

Calories: 98

Protéines: 2,32 g

Hydrates de carbone: 22,8 g

Fibres alimentaires: 3,34 g

Gras, total: 0,36 g

Gras saturé: 0,066 g

Gras monoinsaturé: 0,018 g

Gras polyinsaturé: 0,174 g

Cholestérol: 0,0 mg

Vitamine A carotène: 6318,0 ui

Vitamine A préformée. 0,0 ul

Thiamine B_1: 0,226 mg

Riboflavine B_2: 0,134 mg

Niacine B_3: 0,946 mg

Pyridoxine B_6: 0,532 mg

Cobalamines B_{12}: 0,0 µg

Acide folique: 9,40 µg

Acide pantothénique: 0,560 µg

Vitamine C: 21,0 mg

Calcium: 58,0 mg

Cuivre: 0,114 mg

Fer: 1,13 mg

Magnésium: 34,6 mg

Phosphore: 102,0 mg

Potassium: 716,0 mg

Sélénium: 1,80 µg

Sodium: 72,0 mg

Zinc: 0,442 mg

Calories provenant des protéines: 9 %

Calories provenant des hydrates de carbone: 88 %

Calories provenant des gras: 3 %

Rapport gras polyinsaturés/saturés 2,6:1

Rapport sodium/potassium: 0,1:1

Rapport calcium/phosphore: 0,6:1

Des carottes avec des pommes? Oui, oui, vous avez bien lu! Même si la règle générale veut que les fruits et légumes constituent de pauvres combinaisons alimentaires, ce qui s'applique aux aliments solides ne s'applique pas nécessairement aux jus. Les jus sont surtout composés d'eau, et la variété des combinaisons possibles est beaucoup plus grande qu'avec les aliments solides. Une exception cependant: les fruits acides comme le citron, le pamplemousse et l'orange, qu'il vaut mieux mélanger entre eux, sauf en certains cas assez rares, parce qu'ils font cailler les autres jus. Certains acides, à propos (comme l'acide malique contenu dans la pomme, une enzyme qui favorise la digestion), peuvent traverser la ligne entre fruits et légumes et se mélanger à la nourriture solide. Pour cela, on peut mettre des pommes dans une salade, et du jus de citron dans des vinaigrettes.

Les bénéfices des combinaisons avec jus de carotte

Les jus de carotte sont des breuvages bourrés d'énergie. Ils vous fournissent la puissance calorifique dont vous avez besoin. Comme ils sont stimulants, ils sont excellents le matin, et pendant le jour. Selon les combinaisons, ils ont des effets physiologiques spécifiques.

Le jus de betterave est un stimulant pour le foie. Le persil purifie le sang. La patate douce est bonne pour l'alcalinité du système sanguin, contient des minéraux et une enzyme bienfaitrice pour les diabétiques. Le jus de chou est merveilleux pour l'estomac, dont il calme les ulcères et les ballonnements. Le concombre stimule les reins et le persil est un diuré-tique. Le melon d'eau contient un liquide hautement alcalin qui neutralise les acides et débarrasse les reins de leurs toxines. Les épinards stimulent le péristaltisme. L'aloès, qui est davantage une plante qu'un légu-me, aide à la désintoxication des systèmes sanguin et lymphatique.

Jus verts

Nous quittons maintenant le pays du sucre et des couleurs vives pour entrer dans le très sérieux pays des légumes verts. Il y avait des légumes verts dans les combos aux carottes, mais ici tout est vert.

Les jus verts peuvent guérir, stabiliser, recentrer. Si vous voulez un petit remontant, buvez du jus de carot-te. Mais pour de l'énergie à long terme, buvez des jus verts. Si vous êtes épuisé, agité ou si vous vous sentez «éparpillé», pensez vert! Idéalement pris en soirée, un bon jus vert vous calmera. Le breuvage parfait quand vous êtes épuisé.

Et les jus verts peuvent être puissants. De véri-tables cocktails santé! Imaginez à quel point l'état de santé de notre société s'améliorerait si on servait ces jus verts dans tous les bars de quartier!

Combinaisons pour jus verts

Céleri et épinards
Céleri, épinards et tomate
Céleri, épinards, tomate et chou
Céleri, épinards, tomate, chou et fenouil
Céleri, épinards, tomate, chou, fenouil et citron
Céleri, épinards, tomate, chou, fenouil, citron et ail
Céleri, épinards, tomate, chou, fenouil, citron,
    ail et gingembre
Céleri, épinards, tomate, chou, fenouil, citron,
    ail, gingembre et piment de Cayenne
Céleri, épinards, tomate, chou, fenouil, citron,
    ail, gingembre, piment de Cayenne et tamari

Wow! Ce n'est pas seulement un purificateur pour le sang, c'est un tonifiant pour le corps, un tonique pour les nerfs, un «alcaliniseur», un élixir «minéraliseur». Et si ce n'est pas assez fort pour vous, changez de combinaison. Ajoutez ou soustrayez certains ingrédients de la recette ci-haut, mais ne laissez pas de côté d'autres importants légumes verts comme le radis, le persil, le poivron vert, ou encore utilisez des pousses ou des germes de luzerne, de sarrasin ou de tournesol.

Et le tamari? C'est vrai, ce n'est pas un jus. Mais c'est un liquide filtré qui n'ajoutera pas de solide à votre système. Il est là pour réveiller les saveurs, un peu comme une vinaigrette dans une salade. Le sodium qu'il contient vous aidera à contrôler vos fringales de sucre, et si vous consommez trop de combos aux carottes, les jus verts vont aideront à équilibrer votre glycémie. Si vous préférez, remplacez le tamari par du bouillon minéral Dr. Bronner's, le célèbre fabricant de savon. C'est un savoureux mélange de légumes «terre et mer» qui ne contient pas de sel ajouté et est riche en vitamines et en minéraux. C'est une suggestion, le choix vous appartient. Mais essayez-le, vous pourriez l'adorer!

Quelle quantité de jus vert prendre? Beaucoup moins que les combos aux carottes et les jus de fruits. Ces breuvages sont vraiment comme des cocktails. Il faut les siroter lentement. Un verre de 250 ml (8 oz) par jour devrait être suffisant. Si vous avez besoin de force... buvez vert!

Au sujet de l'avocat

Nous devons être reconnaissants à tous les avocats de la terre pour tout ce qu'ils apportent de bon dans nos vies: vitamines A, E et K, acides gras essentiels, protéines de qualité, sans oublier un goût exquis. Mais... ils ne donnent pas de jus!

Comme la banane, l'avocat ne contient pratiquement pas d'eau. Alors même si vous considérez l'avocat comme la perle du royaume des fruits, attendez la fin de votre jeûne pour en profiter.

Des jus comme remèdes maison

Rhume: carotte, citron, radis, gingembre, ail.

Rhume des foins: carotte, céleri, radis, gingembre.

Système immunitaire: carotte, céleri, persil, ail.

Stimulant pour la mémoire: carotte, persil, épinards, chou chinois.

Calmant pour le stress: carotte, céleri, chou chinois, persil, brocoli, tomate.

Mal de tête: carotte, céleri, persil, épinards.

Désintoxication: pomme, betterave, concombre, gingembre.

Cocktail antioxydant: carotte, orange, poivre vert, gingembre.

Cholestérol: carotte, persil, épinards, ail, tamari.

Purificateur pour le foie: carotte, pomme, betterave, persil.

Calcul biliaire: citron (inclure l'écorce blanche).

Laxatif: citron dans de l'eau chaude au lever.

Équilibre des électrolytes: céleri.

Désintoxication du foie: herbe de blé.

Anti-inflammatoire: jus d'orge en poudre.

Digestion: ananas, papaye.

Arthrite: herbe de blé; tous les légumes verts.

Chlorophylle: le guérisseur vert

Les chloroplastes des plantes vertes produisent la chlorophylle, qui est à l'origine de la chaîne alimentaire. C'est le plasma des plantes vertes. Sans la chlorophylle, toute vie animale s'éteindrait.

Étrangement, ce «sang végétal» a une structure moléculaire semblable à l'hémine, la protéine de notre hémoglobine qui transporte l'oxygène. Ce qui les diffère: la chlorophylle a pour liant le magnésium, l'hémine le fer. Plusieurs lapins anémiques ont recouvré la santé grâce à la chlorophylle. Des patients hospitalisés ont vu leur sang se régénérer grâce à la chlorophylle contenue dans le jus d'herbe de blé.

La chlorophylle est depuis longtemps reconnue pour soigner les plaies infectées ou ulcéreuses. On peut l'utiliser pour les gencives qui saignent, les chancres, la gingivite, les maux de gorge. Elle est facilement absorbée à travers les muqueuses, tout spécialement celles du nez, de la gorge et du système digestif. Elle tue les bactéries responsables des mauvaises odeurs. Voilà pourquoi elle combat les odeurs d'ail, la mauvaise haleine, et agit comme antiseptique. Les bactéries qui vivent sans air sont détruites par les agents producteurs d'oxygène de la chlorophylle. Le Dr Otto Warburg, prix Nobel en 1931, affirmait que le manque d'oxygène, au niveau cellulaire, était une des causes de cancer. D'ailleurs, une thérapie alternative moderne bombarde les tumeurs à l'ozone, oxygène hautement actif.

Contrairement à d'autres drogues, la chlorophylle n'a jamais été toxique, même à forte dose. La chlorophylle peut aussi protéger contre les rayons X des équipements médicaux, des téléviseurs, des écrans d'ordinateurs, des micro-ondes, des téléphones cellulaires, etc. Aucun endroit n'est sans radiation. Dans les années 1950, des cochons d'Inde exposés à des radiations ont été guéris avec des légumes riches en chlorophylle. L'armée américaine a obtenu des résultats semblables avec du brocoli et des germes de luzerne.

Mais la meilleure source de chlorophylle demeure le «jus vert», et le plus puissant est le jus d'herbe de blé.

Les plantes vertes, sources de toute vie

Les plantes vertes, que ce soit l'herbe de blé ou le brocoli, capte leur énergie du soleil. Les photons des rayons du soleil sont captés par les cellules végétales appelées chloroplastes. À mesure que ces cellules emmagasinent la lumière, leurs électrons s'avivent. On pourrait dire qu'elles dansent au soleil! Leur énergie, comme dans une pile, s'accumule sous forme d'adénosine triphosphate (ATP). L'ATP transforme alors le dioxyde de carbone et l'eau en oxygène et en hydrates de carbone. L'oxygène est libéré par les pores des feuilles et remplit l'atmosphère d'air frais. Les hydrates de carbone constituent de la nourriture. L'oxygène et les hydrates de carbone sont indispensables à la vie animale. Si les chimiste arrivaient à reproduire la photosynthèse en laboratoire de façon artificielle, nous aurions accès à une source d'énergie inépuisable: l'énergie solaire.

Ce qui rend l'herbe de blé si extraordinaire

- Purifie et régénère le sang
- Stimule la production d'hémoglobine
- Alcalinise le sang
- Nettoie le côlon
- Purge le foie
- Neutralise les toxines
- Oxygène les cellules
- Guérit les plaies
- A un effet bactériostatique
- Détoxifie les fluides cellulaires
- Soigne les parois intestinales
- Accroît l'activité enzymatique
- Extirpe les métaux lourds
- Élève le *chi* ou *kundalini*

L'herbe de blé – Le roi des jus

C'est un jus populaire et facile à trouver dans les bars à jus et les magasins de produits naturels. Ce qui le diffère des autres jus de légumes, c'est qu'il se boit une once (30 ml) à la fois. Pour vous donner une idée de sa puissance, imaginez ce que ce serait que de boire une once de jus d'ail! L'herbe de blé et l'herbe d'orge font partie d'une grande famille de 9 000 membres, incluant l'herbe de nos pelouses, mais elles sont cultivées à des fins nutritionnelles. Outre la chlorophylle, elles contiennent plusieurs autres éléments bénéfiques pour la santé, le fameux bêta-carotène, entre autres, dont on trouve 18 000 unités dans 30 g (1 oz) d'herbe séchée. Ce précurseur de la vitamine A est excellent pour le système immunitaire et ses lymphocytes, importants dans la prévention des cancers et des troubles cardiaques. Les herbes sont aussi riches en vitamine E, en antioxydants et en vitamine K, responsable de la coagulation du sang.

Si vous ne pouvez pas vous procurer les jus frais de ces herbes, des poudres de jus sont vendues dans les magasins d'aliments naturels. Plusieurs recherches ont été faites pour fabriquer ces poudres, substituts nourrissants et thérapeutiques fort valables.

Si vous décidez de faire pousser votre herbe de blé chez vous et d'en extraire le jus vous-même, il vous faudra un extracteur spécial. Sinon, votre magasin d'aliments naturels favori en cultive peut-être et, si c'est le cas, en vend certainement le jus frais.

Si le goût vous semble trop sucré, mélangez-le avec d'autres jus de légumes. Le céleri, par exemple, est excellent. Mais aussi le persil, les épinards, les germes de luzerne, le chou frisé, le pissenlit et les pousses de tournesol, de blé noir, de pois. Que tout soit vert. Ajoutez de l'ail ou du gingembre. Vous aurez l'impression de manger une salade liquide, et le goût de l'herbe aura disparu.

Buvez toujours vos jus à jeun et attendez de 30 à 45 minutes avant d'avaler quoi que ce soit de solide. L'herbe de blé a un effet purificateur sur le système digestif. C'est pratiquement un laxatif vert. Si vous en prenez trop, vous risquez de courir à la salle de toilette. Vous pourriez aussi ressentir des nausées. C'est pourquoi les doses de plus de 125 ml (4 oz) sont prises par voie rectale. La meilleure façon de bénéficier pleinement des effets du jus d'herbe est d'y aller graduellement.

La couleur de vos jus (et de vos aliments!)

C'est la façon la plus facile de se rappeler les propriétés des aliments.

Rouge: active la circulation, apporte de l'énergie, réchauffe le corps, incluant les mains et les pieds. Exemples: tomate, cerise, chou rouge, poivron rouge, piments, canneberge, melon d'eau, radis, blé et seigle.

Orange: antispasmodique excellent pour les crampes et la douleur. Renforce les poumons dans un environnement pollué. Émotionnellement, pousse vers la joie et rend plus démonstratif. Aide à la vitalité et à la clarté d'esprit. Exemples: orange, carotte, abricot, citrouille, sésame et graines de citrouille.

Jaune: stimulant qui aide à commencer la journée du bon pied. Renforce les nerfs, aide à la digestion et prévient la constipation. Exemples: citron, ananas, pamplemousse, pomme, pêche, banane, papaye, mangue, courge, maïs, beurre.

Vert: purifie le sang, calme, chasse certaines bactéries. Exemples: tous les légumes à feuilles et leurs pousses, l'herbe de blé, l'avocat.

Bleu: prévient les maux de tête. Aide au travail

spirituel et mental. Exemples: bleuet, prune, raisin, patate bleue, céleri, asperge, panais, noix.

Comment conserver vos jus

Il ne sert à rien d'en préparer de grandes quantités d'avance. Vous le perdrez. N'en faites pas plus que pour une journée, deux tout au plus. Les ennemis: l'air et la lumière. La clé: le froid. Il faut garder vos jus très froids tout en évitant qu'ils gèlent. Et les protéger de la lumière.

Utilisez une bouteille de verre opaque, stérilisée, et préalablement refroidie. Emplissez-la au maximum pour éviter l'oxydation due à l'air. Un thermos est parfait pour cette opération. Évidemment, chaque fois que vous ouvrez votre contenant, aussi efficace soit-il, l'air y pénétrera et commencera son travail de destruction.

Comment laver les fruits et légumes

Si vous vous donnez tant de peine pour jeûner, faire et conserver vos jus, vous voudrez vous assurer que les fruits et légumes que vous achetez ne sont pas remplis de pesticides, de parasites ou de bactéries. Pas facile! Les carottes biologiques sont faciles à trouver, mais ce n'est pas le cas pour plein d'autres aliments. Et quand vous les trouvez, ils sont chers! Alors, lavez bien ceux que vous trouverez au supermarché.

Controversé mais efficace: le bain de Clorox. Il tue les parasites et leurs œufs, améliore la couleur, la saveur, la fraîcheur. On dit même qu'il fait disparaître les radiations et le plomb. Cela dit, ce n'est pas un ami pour l'environnement, et si vous le consommiez tel quel, il vous empoisonnerait. Mais il est volatil et se transforme en gaz au moindre contact avec l'air. Alors après avoir lavé vos aliments, laissez-les s'aérer. S'il reste de Clorox, vous le sentirez. Sinon, pas de problème.

D'autres façons de laver vos légumes: une solution de sel et citron (ou vinaigre); un bain à l'acide chlor-hydrique; les tremper dans de l'eau bouillante, de 5 à 10 secondes.

Des symptômes à surveiller

Le soleil est essentiel à la vie sur la terre et à notre santé. Pourtant, trop de soleil peut causer le cancer. Ne vous gorgez pas de jus, comme vous ne le feriez pas de nourriture. Si vous avez une grosse faim, il est temps d'arrêter votre jeûne.

Ne soyez pas inquiet de constater que votre urine ou vos selles sont un peu plus sombres que d'habitude à cause des pigments rouges contenus dans la bettera-ve et verts de l'herbe de blé.

Trop de jus de carotte rendra votre peau jaune ou orange. Réduisez votre consommation ou changez pour des jus verts.

Attention aux baies et autres aliments causant des allergies.

Et, évidemment, commencez doucement. Si vous buvez en trop grande quantité trop vite, vous ressenti-rez des symptômes à cause d'une surexcitation malvenue et d'une désintoxication trop rapide. Continuez votre jeûne, mais ajustez votre dosage.

Apprenez à différencier les symptômes d'allergies et les symptômes d'élimination. Souvenez-vous aussi qu'on a tendance à éliminer par les endroits où les problèmes à long terme se sont installés. Ceux qui souffrent de rougeurs ou d'éruptions cutanées verront peut-être leurs symptômes s'aggraver pendant un jeûne au jus extensif. Les problèmes de glycémie doivent être gérés intelligemment: pas de jus trop sucrés. Et puisque l'élimination ne se fait pas entièrement par le système digestif, des lavements sont conseillés.

L'exercice cardiovasculaire, ou aérobique, est excellent pour les poumons. L'eau aide les reins; la peau adore le soleil, l'air, la baignade et les massages. Ce n'est pas un processus sans douleur!

Le jeûne liquide

Pour un jeûne liquide, on peut consommer autre chose que de l'eau et des jus. Tout liquide filtré, qui ne contient pas de solides, peut faire l'affaire.

Infusions

Bon, on connaît le thé, on sait que c'est fait avec des feuilles de théier. Quand on parle d'infusions ou de tisanes, on pense aux breuvages chaud que l'on à partir d'herbes, d'écorces, de feuilles ou de branches d'arbustes. Elles sont bien meilleures que le thé pour la santé. En effet, les feuilles de thé contiennent plus de caféine que le café. Et du tannin, un astringent utilisé pour transformer les peaux d'animaux en cuir. Les infusions sont plus saines, et se boivent aussi bien chaudes que froides.

Il y a tellement d'usages possibles que je vous suggère de consulter un ouvrage entièrement consacré aux herbes, afin d'y puiser de l'information et des recettes appropriées aux malaises que vous voulez combattre. Vous en trouverez certainement à votre magasin d'alimentation naturelle favori.

Résumons tout de même les propriétés de quelques infusions bénéfiques. Le gingembre et la sauge provoquent la transpiration et abaissent la fièvre; à mettre dans l'eau du bain, ou à boire comme «thé». Le gingembre et le miel s'allient merveilleusement pour contrer une variété de problèmes d'estomac. Le ginseng est un tonique fortifiant qui stimule l'appétit et garde le corps au chaud. Le vinaigre (de bonne qualité) stimule l'acide chlorhydrique. Le miel et le vinaigre équilibrent le pH du système sanguin. La réglisse est un laxatif très doux. Le citron et le miel sont des purifiants pour le foie et aident à évacuer les calculs biliaires. Le piment de Cayenne active la circulation. La digestion se fait mieux avec quelques gorgées de cidre chaud aromatisé à la cannelle. L'ail est un purifiant pour le sang et prévient les infections. La camomille tranquillise les nerfs et calme l'estomac.

D'autres breuvages, faits à partir de grains, sont aussi excellents. Le riz qu'on laisse tremper pendant 24 heures transmet ses minéraux et ses vitamines à l'eau. Il s'agit de mettre 45 ml (3 c. à soupe) de grains par litre (4 tasse) d'eau. Filtrer avant de boire. L'orge, le millet et le blé sont tout aussi intéressants.

Bouillons végétaux

Ne jetez pas l'eau qui a servi à faire bouillir vos légumes. Vous pouvez vous procurer des poudres pour bouillons végétaux à votre magasin d'aliments naturels. Lisez les étiquettes et voyez à ce qu'ils ne contiennent que ces ingrédients: végétaux en poudre, protéines de soya, parfois de la levure. N'oubliez pas de les filtrer.

Le «fait maison» demeure le meilleur choix. Faites bouillir une bonne quantité de vos légumes préférés. Donnez la soupe à vos invités. Gardez le jus pour vous.

Laits de noix

Si vous avez de la difficulté à contrôler votre faim au début de votre diète, les laits de noix sont pour vous. Ils sont riches en protéines et sauront calmer votre appétit. Il ne faut cependant pas en consommer souvent, parce qu'ils sont hautement concentrés et pourraient augmenter votre désir de manger de la nourriture solide.

On peut les faire avec des amandes, des graines de sésame et de tournesol. Il suffit de mélanger 250 ml (1 tasse) de graines à 850 ml (3 1/2 tasses) d'eau. Ajoutez du miel ou du sirop d'érable si vous voulez. Ou encore, utilisez 250 ml (1 tasse) d'eau et 625 ml (2 1/2 tasses) de jus de pomme. Filtrez.

Le lait de noix de coco est naturellement le plus sucré. Délicieux.

Ah oui... n'essayez pas de faire un lait à partir de noix d'acajou. Elles ont des fibres différentes et sont impossibles à presser.

Ces jus contiennent beaucoup de protéines, beaucoup de gras, sont très nourrissants et doivent être bus avec modération. Ils ralentissent la désintoxication souhaitée. Et, bien sûr, ne confondez pas ces «laits» avec les produits laitiers. Ceux-ci n'ont pas leur place dans un jeûne!

Le mythe des protéines

De tous les éléments nutritionnels bénéfiques pour la santé, les protéines sont les plus populaires. C'est d'abord à leurs sujets qu'on vous questionnera, si vous êtes végétarien ou si vous jeûnez. Les superstars de la santé sont pourtant l'oxygène et l'eau. Vous pouvez survivre de longues périodes sans consommer de protéines. Mais pas sans air. Pas sans eau.

À quel point les protéines sont-elles nécessaires? Votre corps les utilise pour reconstruire les tissus et les cellules. C'est la partie du métabolisme qu'on appelle anabolisme. Pendant un jeûne, l'organisme change de direction et s'occupe de nettoyer: c'est le catabolisme. Quand il se nettoie, le corps n'a pas besoin de protéines.

Les protéines sont présentes dans chaque végétal et chaque animal. Même le jus de carotte en contient. Pendant un jeûne, elles seront utiles pour vous soutenir en cas de faiblesse ou pour faire face à une période d'activité plus exigeante. Elles vous permettront de ne pas interrompre un processus qui vous fait du bien.

Mais souvenez-vous que les protéines ralentissent la désintoxication. Un trop grand besoin de protéines vous indique qu'il est temps de terminer votre jeûne.

Le cycle nettoyage/stabilisation s'est suffisamment répété, et votre organisme est prêt à se reconstruire.

Vous ne pouvez jamais précisément prévoir la durée d'un jeûne. Il faut écouter votre corps et vous plier à ses demandes. Il vous fera savoir quand recommencer à consommer des protéines.

Le vinaigre de cidre et d'autres breuvages

Hippocrate, le père de la médecine, utilisait du vinaigre dans ses traitements, 400 ans avant Jésus-Christ. Les Grecs et les Romains de l'Antiquité en entreposaient pour combattre certaines maladies. On raconte même que Christophe Colomb en a transporté quelques barils sur ses bateaux pour prévenir le scorbut.

La version moderne de ce puissant antibiotique et antiseptique naturel a été distillée, raffinée, pasteurisée et virtuellement dépouillée de ses vertus. Alors n'employez que le vinaigre cru, non filtré, obtenu à partir de pommes biologiques. Il est doré, et on peut y voir des filaments de culture bactérienne résultant de la fermentation. Ses bactéries et son acidité sont un excellent nettoyant pour les intestins et aident à maintenir l'équilibre acide-alcalinité du corps. Le citron a aussi un effet bénéfique sur le pH de l'organisme, mais il ne contient pas la bactérie qui combat les germes et tapisse les parois des intestins.

Une diète pendant laquelle on consomme 2 ou 3 breuvages au vinaigre par jour nous débarrasse des cristaux acides qui s'accumulent dans les articulations et causent les raideurs de la vieillesse et de l'arthrite.

Le vinaigre est aussi une bonne source de potassium. La façon de le boire: 30 ml (2 c. à soupe) dans un verre d'eau. Buvez le matin, à jeun.

Un autre breuvage acide est l'acide ascorbique, de la poudre de vitamine C dissoute dans l'eau. En plus d'aider à la guérison des plaies et à la réparation des os, la vitamine C joue plusieurs rôles dans le système immunitaire.

Nettoyants pour le côlon

Ces breuvages sont assez épais pour emporter dans leur passage toutes les impuretés qui voudraient s'incruster dans les intestins. Ils se gonflent en avançant et réussissent à se glisser dans les replis et les crevasses pour faire un nettoyage sans pitié.

Le psyllium, en grains, est l'ingrédient miracle. Son volume augmente jusqu'à 15 fois dans l'eau. Les autres sont le lin et le chia. Ce sont des graines gélatineuses qui forment un gel épais quand elles sont mouillées. Ces graines, ou la poudre qu'on en tire, sont mélangées à un verre de jus, qui sera suivi par un ou deux autres verres de jus ou d'eau. C'est important. Parce que si l'eau ingurgitée est insuffisante, le gel durcira, formant une masse difficile à éliminer.

En pharmacie, vous trouverez le Metamucil®, qui est la version commerciale de ce genre de breuvage de psyllium. On le conseille comme laxatif doux. Le problème, c'est qu'il contient du sucre. La version vendue à votre magasin d'aliments naturels n'en contient pas, et est préférable.

Avec ou sans leur enveloppe, les graines de psyllium ne sont pas irritantes. Toutefois, si vous mangez autre chose avec, elles rendront votre nourriture imperméable aux fluides digestifs. Prenez-les seules, le matin à jeun, ou le soir 30 minutes avant le coucher.

C'est un breuvage très substantiel qui peut faire gonfler l'abdomen. Pas de panique. Comme le psyllium est assez cher et ne goûte pas bon, vous pouvez utiliser du chia et du lin. Quinze millilitres (1 c. à soupe) de graines de chia, même quantité de lin, une demi-banane. Mélangez. Si c'est trop épais, ajoutez de l'eau. Gardez ce régime entre 3 et 6 jours. Arrêtez un ou deux jours et recommencez. L'élimination sera sérieuse et complète. On peut ajouter des herbes au breuvage, ou de la bentonite, une argile. Cela augmente encore l'efficacité du nettoyage.

Quand prendre des vitamines et des herbes

Fondamentalement, on jeûne pour reposer le système digestif et rééquilibrer notre chimie naturelle sans l'influence de la nourriture. Quand nous prenons des vitamines, nous dérangeons notre équilibre.

Si le but de votre jeûne est la désintoxication, ou si vous voulez travailler sur un problème de santé précis, vous pouvez prendre des herbes ou des vitamines pour accélérer le processus. Il s'agit d'assistance, pas d'empêchement. Dans ce cas, votre but est la guérison, pas le jeûne.

Le jeûne est là pour vous aider à atteindre votre but, et s'il faut en assouplir les règles, allez-y. Cela vous permettra, par exemple, d'ajouter de l'échinacée ou de l'hydraste du Canada à vos jus verts pour en améliorer l'effet sur votre système immunitaire.

Quelles vitamines prendre? Seulement celles qui sont solubles dans l'eau et, préférablement, seulement de la vitamine C. Vos jus vous procurent tous les nutriments dont vous avez besoin. Si la vitamine C fait exception, c'est qu'elle est bénéfique tant pour la désintoxication que pour le système immunitaire. Mais ce n'est pas un supplément essentiel.

Autre chose: évitez l'acétaminophène (Tylenol®) et l'acide acétylsalicylique (Aspirin®) pendant votre jeûne. Il endort les symptômes, mais ne guérit rien et nuit à la chimie naturelle de l'organisme. Plusieurs maladies chroniques comme la goutte, l'arthrite, l'artériosclérose ne se développeraient pas si on laissait les crises compléter leurs cycles normalement sans leur mettre des bâtons dans les roues. Prenez des bains, des lavements, mettez-vous des bouillottes sur la tête, reposez-vous, dormez, mais de grâce évitez ces drogues.

Chaud ou froid?

Pendant votre jeûne, vous vous demanderez quotidiennement quoi boire. De l'eau, du jus de carotte, un cocktail vert, un thé aux herbes, un bouillon chaud... Le fait d'avoir envie d'un breuvage chaud ou froid vous aidera à décider du breuvage lui-même. Mais rien de glacé ni rien de trop chaud! Ce n'est jamais bon pour vous, surtout en période de jeûne, alors que votre estomac est contracté et relativement dormant.

La glace et la chaleur extrême sont des chocs à éviter. Si vous avez chaud, allez nager. À propos... chaud ou glacé, le café est interdit, de même que la bière!

N'oubliez pas l'eau

Surtout pas! Malgré le choix presque illimité de breuvages disponibles, l'eau demeure le numéro un. Un dissolvant superbe, un détersif puissant capable de rincer parfaitement vos reins, votre vessie, votre système digestif, des autres liquides que vous avez ingurgités. L'eau contient aussi des électrolytes, qui sont des acides, des bases et des sels qui véhiculent la bioélectricité à travers notre système nerveux. L'eau est nourrissante et renferme plein de minéraux utiles.

La qualité de l'eau

Soyez attentif à la qualité de l'eau que vous buvez. On a beau dire que «de l'eau c'est de l'eau», il y en a de toutes sortes. L'eau doit être pure. Puisque vous jeûnez pour nettoyer votre organisme, il vaut mieux ne pas le polluer avec de l'eau douteuse. Et vous savez que la pollution de l'eau est un problème planétaire.

Vous pouvez bien sûr acheter votre eau en bouteille, la distiller, la filtrer... Mais cela en fait-il une eau pure? L'eau distillée est morte. Elle est bouillie, ce qui la stérilise et tue toutes les bactéries qu'elle contient. L'eau en bouteille n'est peut-être pas ce que vous croyez. Il y déjà longtemps qu'on se pose des questions quant à sa pureté et à sa provenance. L'eau purifiée est filtrée par du charbon tellement dense qu'il retient tout, même la plus microscopique bactérie. Alors devons-nous boire de l'eau de source, de l'eau distillée ou de l'eau filtrée? L'eau de source est naturelle, mais est-elle pure? Comme la planète est polluée, comment être certain que la source où l'eau a été puisée ne l'est pas?

Les filtres laissent passer certains minéraux, mais ne neutralisent pas le fluorure, les nitrates, les sulfates et le sodium. Toutefois, certains manufacturiers de filtres au charbon ont ajouté des éléments qui retiennent le fluorure et les nitrates. Quant au processus de distillation, il tue toute forme de vie dans l'eau. L'osmose inversée est une nouvelle technologie qui fait disparaître les sels, le fluorure, les nitrates et les polluants organiques communs. L'eau passe à travers une membrane qui retient les polluants. Malheureusement, la membrane réagit différemment selon la dureté de l'eau, son acidité, son alcalinité, et le traitement n'est pas toujours aussi efficace.

Alors... devriez-vous boire de l'eau morte pendant un jeûne? Probablement pas, puisque vous faites un jeûne à l'eau et que l'eau est votre seule source de nutrition. Mais si vous faites un jeûne liquide qui comprend des jus, l'eau, même distillée, vous aidera à nettoyer vos reins, votre vessie, votre système sanguin, en plus de servir de chélateur naturel. Et puisque vous prenez des jus, vous n'aurez pas à vous soucier de l'absence de minéraux dans l'eau. Un seul jus de carotte vous fournira autant de calcium que 50 verres d'eau de source.

Donc, pendant un jeûne à l'eau, buvez de l'eau pure seulement! Et vous pouvez reconstituer une eau distillée, en y ajoutant 3 grains de riz par quatre litres (un gallon). Les minéraux, vitamines et enzymes du riz vont redonner vie à votre eau distillée. Vous pouvez aussi laisser l'eau distillée au soleil, qui la «rechargera».

Guérison
et désintoxication

Le cycle guérison/désintoxication

Quand vous jeûnez, c'est comme si vous étiez sur la table d'opération de la Nature. Votre organisme change de fonction. Plutôt que de s'occuper à recevoir, trier, entreposer, analyser, assimiler, rejeter, il s'occupe de laver, décrasser, rafraîchir, régénérer. Ce n'est pas un travail facile, ni pour lui, ni pour celui qui l'habite, c'est-à-dire vous-même.

Personne, jamais, n'a dit qu'un jeûne était facile. Mais c'est probablement plus facile que vous ne croyez. Bon... disons que le jeûne est facile, mais que la guérison ne l'est pas. Et puis... le processus de guérison peut... vous rendre malade!

Symptômes... d'une guérison

Éruption cutanée, eczéma, acné, nausée, faiblesse, étourdissements, chaleurs, bronchite, asthme, maux de tête, évanouissement, fièvre, diarrhée, douleurs musculaires, nez bloqué, nez qui coule, pouls irrégulier, menstruations irrégulières...

Mais, allez donc, est-ce un jeûne ou une grippe? Les symptômes, c'est vrai, se ressemblent. Je répète que les poisons vous font mal deux fois: en entrant dans votre organisme et en en sortant. Le foie a été bien bon de les entreposer pendant des années. Le côlon a des décennies de déchets dans ses plis. Mais le jeûne fait le ménage... D'où tous ces symptômes! Les poisons, immobiles depuis si longtemps, sont remis en circulation et cherchent une sortie. Certains voyagent dans la tête, et ça fait mal. Certains autres veulent s'échapper par les pores de la peau, causant des rougeurs, des éruptions de toutes sortes. D'autres voyagent vers le bas et entraînent des diarrhées. D'autres encore veulent s'échapper par les poumons (bronchite, asthme) ou les reins (douleurs urinaires, sueurs malodorantes). Et plus ils mettent du temps à s'en aller, plus vous vous sentez fatigué. Vous pouvez même ressentir de la fièvre.

Ces périodes d'extrême inconfort sont des manifestations de guérison, et vont et viennent de façon régulière pendant un long jeûne. On les appelle aussi crises de guérison, parce qu'elles surviennent à un point culminant de la désintoxication: tous les 10 à 14 jours. Mais rassurez-vous: ça ne dure pas plus que 2 ou 3 jours. Entre ces moments pénibles vous vous sentirez en pleine forme.

Encore une fois: écoutez votre corps. Si vos symptômes sont trop sévères et trop fréquents, si votre fièvre est trop forte, si vous manquez de confiance en vous, si vous refusez l'assistance de gens compétents, arrêtez votre jeûne. Mais... seulement si toutes ces conditions vous affligent.

Le fait de briser votre jeûne laissera votre organisme libre de redistribuer les poisons à travers votre système sanguin avec la nourriture que vous prendrez. Votre crise sera temporairement terminée. Mais les poisons qui vous rendaient malades seront toujours en vous.

Les jeûnes au jus sont moins susceptibles de vous apporter autant de désagréments. Dans tous les cas, essayez toujours d'aller jusqu'au bout d'un jeûne. Les malaises sont passagers. Les bénéfices sont inestimables.

Méthodes
de désintoxication

Les organes de l'élimination

Aidez vos organes et ils vous aideront! Comme je l'ai déjà dit, les toxines peuvent emprunter plusieurs chemins pour sortir de votre corps. Vous pouvez les aider à partir plus rapidement en vous assurant que la voie est claire. Qui vous a dit qu'un jeûne consistait simplement à se priver de nourriture? Il y a du travail à faire. De votre part, et de la part de chaque organe d'élimination.

Les poumons

Respirer de l'air frais aide vos poumons! Les poumons reçoivent un incroyable volume de polluants à la minute et travaillent constamment à éliminer des gaz toxiques. L'oxygène est notre nutriment le plus important. C'est la ligne entre la vie et la mort.

Commençons par prendre conscience que les poumons sont constitués de tissus musculaires, et qu'ils ont besoin d'exercice. Une façon de les faire travailler est d'apprendre le tuba. Mais on peut aussi souffler dans un ballon.

Respirons «à pleins poumons»! La plupart du temps, nous n'utilisons que le tiers de notre capacité pulmonaire. Respirons profondément!

Le yoga enseigne différentes façons de respirer qui sont très régénératrices. Vous pouvez aussi utiliser un vaporisateur, qui projette de l'air chaud et humide dans votre environnement. Ajoutez de l'eucalyptus, de la menthe ou des herbes spécifiques, comme le camphre, qui aide à l'élimination.

Évidemment, au Québec, avec les longs mois d'hiver qui nous obligent souvent à passer plus de temps dans nos maisons surchauffées, un humidificateur est essentiel. Mais choisissez le bon. Certains des plus modernes, qui utilisent les ultrasons, sont très contestés. Les plus conseillés sont les plus simples, qui vaporisent l'eau grâce à un élément chauffant. L'été, un déshumidificateur est tout aussi utile.

Certains thés sont excellents pour les poumons. Consultez votre guide des herbes ou informez-vous à votre magasin de produits naturels. Et, bien sûr, un peu d'exercice, pour accélérer votre respiration, vous fera le plus grand bien.

La peau

La peau est notre plus grand organe d'élimination. Chaque pore est une ouverture par où peuvent s'échapper les déchets que le corps accumule. Brossezla, aérez-la, frottez-la, lavez-la. Quand votre peau se sent bien, vous vous sentez bien.

Il y a deux façons d'aider votre peau à évacuer vos poisons: par stimulation intérieure, et par stimulation extérieure. La stimulation extérieure est obtenue en lavant et en brossant la peau. Une bonne brosse faite avec des poils en fibre naturelle laisse la peau rosée, picotant agréablement. La circulation est accrue et attire les toxines à la surface de l'épiderme. Faites prendre l'air à votre peau. Évitez les tissus synthétiques, qui emprisonnent l'air et sont irritants pour la peau. Privilégiez les cotons naturels qui «respirent» et ne sont pas allergènes. Et... portez le moins de vêtements possible. Allez dehors et exposez votre peau à l'air et au soleil.

«Stimulation intérieure» signifie que vous allez aider à l'élimination par la peau, non pas que vous ferez quoi que ce soit à la peau directement. Les saunas, les bains de vapeur sont suggérés. Quand vous jeûnez, les bains de vapeur sont préférables. L'air chaud et sec des saunas est affaiblissant. Mais si c'est tout ce qui est disponible, n'entrez dans le sauna que pour de courtes périodes. Un bain de vapeur, aussi appelé bain russe, augmente l'humidité dans vos poumons et dans tout votre corps. Il adoucit la peau, et la chaleur active la circulation. Vos pores sécrètent de la sueur qui charrie les toxines. Prenez une douche froide, puis retournez à la vapeur. À la maison, prenez simplement un bain chaud. Pas trop chaud si vous vous sentez faible.

Mettez de sel d'Epsom ou du sel de mer dans l'eau, ou des plantes, épices et herbes comme le gingembre, le piment de Cayenne ou la sauge. C'est une façon de suer et de combattre une fièvre, un mal de tête, des problèmes de peau, etc. L'eau salée crée un courant osmotique entre les fluides de vos systèmes lymphatique et circulatoire et l'eau du bain. Ne craignez pas d'utiliser le sel d'Epsom en grande quantité. Vous pouvez aussi ajouter du bicarbonate de soude pour vous sentir encore plus propre et avoir une peau plus douce. Le sel d'Epsom est aussi un relaxant musculaire. Après 10 ou 20 minutes de bain chaud, courez sous les couvertures et suez!

Prenez un bain par jour. Au moins. Dans certains centres de santé et spas, on offre des bains de minéraux extraordinaires. Faites-vous plaisir. C'est la meilleure façon de supporter les moments difficiles de votre jeûne.

Évidemment, si vous habitez près de l'océan, allez vous baigner. Que l'eau soit chaude ou froide, elle est salée et constitue un merveilleux nettoyant pour la peau. Et, surtout, profitez du soleil.

Si votre peau s'assèche, dorlotez-la avec de la vitamine E et de l'aloès. (Ce n'est pas une crème solaire: c'est un lubrifiant!)

Les reins

Les reins ont le double rôle d'éliminer les déchets fluides du corps et de purifier le système sanguin. Ils ne se reposent jamais. Même pas en période de jeûne, à moins qu'il s'agisse d'un jeûne à l'eau distillée seulement. Toutefois, quelle que soit l'eau que vous buvez, elle est plus reposante que la nourriture pour vos reins.

Des herbes sont reconnues comme particulièrement bénéfiques pour les reins, parce qu'elles aident au nettoyage, augmentent le flot d'urine (diurétiques) et peuvent même dissoudre les calculs rénaux. Consultez un bon guide des herbes. Certains jus sont aussi très efficaces: écorce de melon d'eau, persil, canneberge, concombre, céleri, aloès, herbe de blé, pissenlit, fraise et asperge.

Des compresses chaudes ou froides sur les reins soulagent la douleur. La vitamine C combat les infections des reins et de la vessie.

✶ L'asthme est souvent relié au mauvais fonctionnement des reins. Les asthmatiques devraient prendre du soleil, jeûner et boire de l'eau distillée, histoire de reposer un peu les reins, qui en ont grand besoin.

Le foie

Le foie est certainement le plus important organe de désintoxication. Il neutralise les poisons et, quand il ne peut pas les neutraliser, il les entrepose. Le résultat de ces deux opérations est le même puisque l'une et l'autre nous protègent contre certains dommages.

Malgré tout, de mauvaises habitudes alimentaires entretenues depuis trop longtemps ont un peu surmené notre foie et les symptômes sont visibles à l'oeil nu, sur notre peau, dans nos cheveux.

Pendant un jeûne, le foie est très occupé. Il attrape et filtre les poisons qui lui sont envoyés par les autres parties du corps, tout en se débarrassant de ses propres toxines. Dieu merci, il ne reçoit pas de nouvelle nourriture, et peut faire un vrai nettoyage!

Les jus qui lui sont particulièrement bénéfiques sont les jus d'herbe de blé, de carotte, de betterave, de pissenlit, de persil, de citron, de pamplemousse, de pomme et d'épinard.

Un peu d'huile d'olive dans un jus de pamplemousse ou de citron expulse la bile contenue dans la vésicule biliaire, rattachée au foie.

Consultez votre guide des herbes pour connaître celles qui sont bonnes pour votre foie. Le soleil et l'exercice sont toujours de mise. Faites-vous masser par un professionnel. Un massage du foie ou des intestins, suivi d'un massage de tout le corps, est une des meilleures choses que vous puissiez vous offrir quand vous jeûnez. Le foie peut être manipulé. Un bon masseur peut pétrir le foie comme un boulanger pétrit son pain. (Allez-y mollo, quand même, et dites sans retenue ce que vous ressentez à votre masseur.)

Le côlon

Le côlon élimine les déchets solides et absorbe l'eau de la nourriture. Quand la nourriture arrive dans le côlon, elle est dans un état semi-solide. Le côlon absorbe l'humidité et rejette le solide. Le péristaltisme, mouvement ondulatoire des muscles des intestins, commence son travail, dirigeant la nourriture vers la sortie: l'anus.

Quand vous jeûnez, le péristaltisme ralentit, à mesure que les intestins se vident. Cela ne signifie pas qu'ils ne contiennent plus de détritus. Le côlon compte plein de replis, de pochettes, où des matières mortes s'accumulent. Ces diverticules sont rarement nettoyés à cause du passage régulier d'énormes quantités de nourriture. Pendant un jeûne, ces recoins se vident peu à peu, pendant que les fluides toxiques des autres parties du corps commencent eux aussi à s'éliminer et se retrouvent dans le côlon.

Le manque de nourriture et le péristaltisme paresseux ont parfois un effet néfaste: les poisons qui se trouvent dans le côlon peuvent être absorbés à nouveau, et vous pouvez ressentir des maux de tête ou de la fatigue. Il est donc utile d'aider le côlon à se débarrasser de ce qu'il contient. Le lavement et l'irrigation du côlon sont les meilleurs moyens de le faire. On y reviendra.

Certaines herbes peuvent stimuler le péristaltisme tout en nourrissant le côlon. Le séné, la cascara sagrada, la mandragore sont des irritants pour le côlon qui, en cherchant à s'en débarrasser, se débarrasse aussi d'autres déchets qui résistent.

La racine de rhubarbe, la menthe, l'hydraste du Canada, l'aloès et l'herbe de blé sont des toniques réparateurs pour le côlon.

Un thé aux graines de lin est un laxatif doux, comme les jus crus de céleri, de pomme, de carotte, de rhubarbe, d'épinard, de prune, de figue, de raisin. Un massage des intestins fait aussi des miracles avant un lavement ou une irrigation.

L'exercice et la respiration profonde devraient faire partie de votre programme de santé du côlon.

Autres effets

Pendant un jeûne, votre langue, vos dents et vos gencives peuvent se couvrir d'une couche gélatineuse. Si vous jeûnez au jus, brossez-vous les dents et utilisez un rince-bouche. Si vous jeûnez à l'eau, nettoyez-vous la bouche avec du sel et du bicarbonate de soude.

Des croûtes au bord des yeux le matin, un surplus de cire dans les oreilles, un nez qui coule, sont tous des symptômes naturels d'élimination.

Apprenez à vous faire vomir. Ce n'est pas une pratique très romantique, mais c'est une façon rapide de se débarrasser de certains malaises comme la nausée, la fièvre, les maux de tête.

Pour chasser un mal de tête, un bain de pieds vous aidera: ajoutez de la moutarde et du piment de Cayenne à l'eau. Un sac de glace sur la tête peut aider.

Exercices de désintoxication

L'exercice physique doit faire partie de votre programme de santé, toute l'année durant. Mais il est particulièrement important pendant un jeûne. Surtout les exercices qui stimulent le système cardiovasculaire: la natation, la bicyclette, la marche, le trampoline, la danse. Attention à la course et au jogging, qui demandent trop d'énergie.

Le yoga est une discipline à laquelle vous devriez vous intéresser. Le pranayama est un exercice de respiration qui vide les poumons et oxygène tout le corps.

Évidemment, soyez prudent! Ce n'est pas le moment de faire de la musculation ou de s'inscrire à un cours d'aérobie! Le but de l'exercice pendant un jeûne est d'aider à la désintoxication. Le bon sens prévaut. Évitez l'épuisement.

Irrigation du côlon et lavement

Ouache!

En effet... ce n'est pas le sujet de conversation favori de qui que ce soit. Mais l'irrigation du côlon ou les lavements devraient faire partie de notre hygiène corporelle. Après tout, on se nettoie les oreilles ou les ongles. Et les femmes connaissent la douche vaginale. C'est tout comme.

Ou presque!

Essayez-le... vous l'aimerez!

Mais oui, croyez-moi! Si les gens vont vers l'irrigation du côlon à reculons, presque tous en ressortent ravis. Et prêts à recommencer. La raison est toute simple: on a instantanément une impression de fraîcheur. Les résultats sont spectaculaires!

Avantages

Irrigation ou lavement, c'est tout simplement un lavage du côlon avec de l'eau. Il existe de nombreuses techniques médicales plus douloureuses. Le premier obstacle à franchir est quand même notre propre dégoût face à nos excréments. Et pourtant, ils font partie de nous. De notre mécanisme intérieur. Et pour demeurer en santé on ne peut pas se permettre d'ignorer une partie de notre anatomie.

En période de jeûne, tout spécialement, les intestins doivent être libres. Et puis... une irrigation pro-

voque une élimination instantanée qui prendrait normalement deux jours à s'accomplir. Pourquoi jeûner
plus de temps qu'il n'en faut?

Différences entre une irrigation et un lavement

Vous avez déjà vu des sacs à lavement. Achetez-en
un de deux litres. Le fonctionnement est simple. L'eau
entre lentement dans votre côlon et en ressort peu à
peu en emportant les déchets. Vous vous couchez pour
laisser entrer l'eau, vous allez aux toilettes quand vous
en ressentez le besoin. Pas d'aiguilles, pas de produits
chimiques: rien que de l'eau.

Une irrigation est semblable, mais la procédure est
plus longue et plus technique. Il vous faut l'assistance
d'un professionnel. L'opération a lieu dans les bureaux
du thérapeute et doit être faite par une personne qua-
lifiée. On trouve souvent ces professionnels de l'irrigation dans des bureaux partagés par d'autres théra-
peutes en médecine naturelle: acuponcteurs, masseurs,
chiropraticiens, ostéopathes, etc. L'avantage d'une
irrigation est que vous n'avez rien à faire d'autre que
de relaxer, surtout votre abdomen. Le thérapeute
contrôle tout. Et vous n'avez pas à aller aux toilettes
puisque les déchets sont évacués dans un tube.

Une irrigation nécessite plus de 20 litres d'eau,
administrés sur une période de 45 minutes. Bien sûr,
cette eau est introduite lentement, par petites quantités, et votre confort est la meilleure garantie que tout

se passe bien. Le thérapeute est là pour vous faire du bien. Il sait ce que vous devriez ressentir, et il est à votre écoute.

Quand et comment

L'un des avantages des lavements, c'est que vous pouvez en profiter chez vous, quand vous le voulez, et que ça ne coûte rien. Pendant un jeûne, faites-le régulièrement, quotidiennement ou aux deux jours, au moins une fois tous les trois jours.

Pour l'irrigation: une ou deux fois par semaine. Plus vous vous y habituerez, plus ce sera facile.

Pour vos premiers lavements, allez-y doucement, en plusieurs étapes, et ne laissez qu'une petite quantité d'eau entrer dans votre côlon à chaque fois. Vous aurez besoin d'évacuer plusieurs fois. Mais bientôt, vous pourrez prendre tout le contenu du sac en une seule fois. Vous trouverez aussi les positions qui vous conviennent le mieux.

Lavements exotiques

Ceux qui commencent ce genre de traitement s'y habituent assez vite parce qu'ils en ressentent tout de suite les bienfaits. Même si vous ne jeûnez pas, les lavements et les irrigations du côlon sont d'efficaces façons de désintoxiquer votre organisme.

Une irrigation une fois par mois ou toutes les six semaines est une excellente chose. Quant au lavement, rien ne vous empêche d'ajouter des herbes à l'eau que vous utilisez. Encore une fois, consultez votre herboriste.

L'eau froide ou chaude est à déconseiller. L'une et l'autre provoquent un choc dans l'organisme, et l'eau chaude peut faciliter la réabsorption des déchets par le côlon. Prenez de l'eau tiède.

Danger?

Certaines personnes sont contre ces méthodes. Elles croient, à tort, que les lavements vont rendre le corps paresseux dans ses fonctions d'élimination. Évidemment, si vous exagérez et empêchez constamment vos muscles de fonctionner, ils finiront par s'affaiblir. Mais ce sont des muscles très forts, et quelques exercices très simples leur rendront leur pleine efficacité.

Un autre problème qui survient chez quelques personnes, c'est que le tube de la canule n'est pas assez long, et qu'ils n'arrivent à remplir d'eau que la première partie du rectum, rendant le lavement totalement inutile. Il existe des rallonges (jusqu'à 1 mètre!) qui s'adaptent à la canule du sac.

Les problèmes dus au lavement ou à l'irrigation du côlon sont rares, et sont toujours liés à l'abus et à la négligence. Consultez des professionnels avant de commencer, et soyez certain que ces méthodes de désintoxication sont excellentes et sans danger.

Le jeûne au quotidien

Nettoyage

Lavement quotidien, tous les deux jours ou trois jours.

Irrigation du côlon une ou deux fois par semaine.

Massage

Par un professionnel.

Automassage avec une brosse d'éponge végétale.

Marche

Au soleil.

«Bain de vent», avec le plus de peau exposée possible.

Bain

Bain de vapeur dans un centre de santé.

À la maison, avec du sel d'Epsom dans l'eau du bain.

Breuvages

Eau.

Jus.

Infusions.

Limonade chaude.

Exercice

Respiration profonde.

Yoga.

Marche.

Relaxation

Méditation.

Siestes.

Sommeil réparateur.

La perte de poids

L'obésité est un problème de plus en plus répandu. Les Nord-Américains en souffrent tout particulièrement. Les diètes «miracles» sont innombrables. Aucune ne fonctionne vraiment, parce que les résultats ne durent pas. Le poids perdu est vite repris, avec quelques kilos en prime.

Une des méthodes d'amaigrissement les plus efficaces est le jeûne, mais on n'en parle peu ou pas du tout. Évidemment, elle ne coûte presque rien, alors...

Pourtant, les résultats sont rapides et durables. Sans compter que c'est tout à fait naturel et bien supérieur à toutes les pilules, les drogues, les repas-diète qui inondent le marché. Et sans effets secondaires néfastes.

Le seul effet secondaire du jeûne est une baisse de votre tension artérielle due... à votre perte de poids!

Ça fonctionne comment?

Même pendant un jeûne, le corps dépense de l'énergie. Comme il n'en reçoit pas, il puis à ses réserves en ordre inversé d'importance. La graisse des tissus adipeux d'abord, puis celle des tissus musculaires des organes et des glandes. Chez un obèse, ce gras peut représenter 65 % de son poids. Les personnes souffrant d'obésité auront de la difficulté à passer le premier stade d'un long jeûne, mais cet effort sera largement récompensé par la suite.

À *quoi s'attendre?*

La première semaine donnera des résultats spectaculaires. Plus votre surcharge pondérale est importante, plus vous perdrez de kilos. C'est donc à la fois la période la plus difficile et la plus encourageante.

Si vous ne perdez pas autant de poids que vous le désireriez, c'est que votre corps ne peut pas en perdre davantage sans danger. Écoutez votre corps, et quand le désir de vous nourrir revient, arrêtez votre jeûne.

Ce scénario est variable. Le métabolisme de chaque individu est unique. Chacun gère ses calories à sa façon. D'où le fait qu'un repas peut être entièrement utilisé par l'organisme d'une personne, et en faire engraisser une autre. Toutefois, aucune méthode d'amaigrissement ne vaut un jeûne pour perdre du poids et se désintoxiquer en même temps. Chez ceux qui jeûnent pour maigrir, le seul effet secondaire est une meilleure santé.

Fondamentalement, l'obésité est une indication de mauvais fonctionnement du métabolisme ou de la digestion. Mais il n'existe pas de pilule ou de diète capable de traiter le système endocrinien. La glande thyroïde contrôle le métabolisme. Les glandes surrénales contrôlent la réabsorption du sodium des reins, cause de rétention d'eau. Le pancréas contribue à la digestion des gras et des hydrates de carbone.

Le jeûne réduit le fardeau de ces glandes endocrines et du cœur. Il aide à la combustion d'énergie, à la digestion des calories, et soulage les malaises dus au diabète, à l'asthme, aux ulcères, à l'anémie, à l'hypertension, etc.

Il est vrai que nous sommes tous nés avec certaines prédispositions et que nous devons apprendre à vivre avec les limites de notre propre corps. Mais un long jeûne peut transformer certains modèles biologiques, et offrir des avenues nouvelles et positives aux gens atteints d'obésité.

Les effets psychologiques du jeûne

Seriez-vous fou?

Un jeûne peut faire peur. L'idée de ne pas manger pendant un temps déterminé est pour le moins extraordinaire. Si vous avez envie de relever ce défi, il vous arrivera peut-être de vous questionner sur votre santé mentale. Et, bien sûr, l'aspect physique du défi n'est pas à négliger.

Est-ce que le fait de ne pas absorber de nourriture peut nous rendre malade? N'est-ce pas une question de vie ou de mort? Puisque nous mangeons depuis toujours, trois repas par jour, ces repas ne sont-ils pas essentiels?

Il est normal de vous poser de telles questions. Il est normal aussi de chercher un peu de soutien dans votre entourage... Mais vous n'en trouverez pas! Le jeûne est une tâche solitaire. Une forme d'isolement non intentionnel.

Tous les événements d'une vie sociale normale impliquent de la nourriture. Tout le monde essaiera de vous dissuader de jeûner. Vos proches craindront pour votre santé. Les gens du milieu médical vous asséneront mille raisons raisonnables pour ébranler vos convictions et renverser votre décision.

Voilà pourquoi j'ai parlé plus tôt de vos motivations. Ce sont les racines de votre désir de jeûner. L'information que vous avez cherchée, la connaissance que vous avez acquise et les bons conseils de gens qui ont déjà jeûné, tout cela vous a amené à prendre cette décision, et les critiques et l'intimidation de ceux qui ne comprennent pas ne doivent pas vous freiner.

Affirmez-vous. Vous constaterez bientôt que le regard des autres changera. Ils auront peur de vous et de ce que vous représentez. Votre assurance les poussera à vous respecter et à vous admirer. Certains voudront même tenter eux-mêmes l'expérience du jeûne. Pour d'autres, qui devront faire face à leur propre manque de courage devant le jeûne et à leur propre négligence devant leur corps, vous serez la cible de sarcasmes et de mépris. Ça, c'est leur problème.

Écrivez le journal de votre jeûne

Le jeûne fait de vous un observateur. C'est un peu comme si vous étiez dans une zone temporelle différente. Vous vivez à autre rythme que celui du reste de la planète. Vous pouvez même vous retrouver avec trop de temps devant vous. Après tout, on en prend beaucoup pour manger et dormir, et vous ne mangez plus et dormez moins. Ne vous en faites pas, après une brève période d'ajustement, vous apprendrez à gérer votre nouvelle vie.

Utilisez votre temps de façon productive. Regardez-vous vivre. Remarquez l'appétit qui disparaît. Voyez comment se comporte votre esprit depuis qu'il n'a pas à se préoccuper de nourriture. Soyez attentif à cette sensation de vide qui habite votre abdomen.

Si vous vous embarquez pour un long jeûne, tenez un journal de bord. C'est une bonne façon d'extérioriser les pensées qui surgissent dans votre esprit, les sensations nouvelles de votre organisme, les sentiments négatifs ou positifs que le jeûne vous apporte. Et si la colère s'installait, cessez votre jeûne.

Vous sortirez grandi de votre période de jeûne. Et vous aurez envie de partager votre expérience et peut-être de convaincre les autres de changer leurs habitudes. Vous aurez envie de jeter un peu de lumière sur leurs peurs, en transformant leur ignorance en connaissance.

Cette connaissance, à son tour, illuminera le monde.

Arrêter le jeûne

Jeûner, c'est facile. Passé les deux ou trois premiers jours, vous êtes lancé, et votre course peut durer plusieurs jours, plusieurs semaines, sans difficulté. Mais il vous faudra faire preuve de discipline quand vous déciderez d'arrêter votre jeûne.

Tout de suite après...
De la discipline et de la volonté. Voilà ce qu'il faut. Parce que tout ce qui dormait va se réveiller d'un coup.

La plus raisonnable de vos papilles gustatives aura un besoin terrible de goûter quelque chose, et votre système digestif tout entier sera un monstre affamé. Le besoin de manger est le besoin le plus fort chez l'être humain. Plus fort que le désir sexuel!

Recommencer à manger de la nourriture solide est la période la plus difficile et la plus importante d'un jeûne... et la plus dangereuse! Si vous ne vous retenez pas de manger trop, trop vite, vous vous en repentirez.

Vous devez à tout prix éviter de stresser votre organisme. Pas de choc! Allez-y en douceur.

Si vous êtes toujours un professionnel de la mastication, vous êtes à nouveau un amateur en ce qui concerne la digestion. Tous vos organes doivent reprendre leurs habitudes peu à peu. Cœur, foie, poumons et les autres, qui se reposaient tranquillement, doivent retourner au travail. Si vous les engorgez, tous les bénéfices de votre jeûne pourraient être remis en question.

Soyez bon pour votre corps. Ne le brusquez pas. Pensez à un retour de vacances... Pas de falafel, de pizza, de gâteau au chocolat... Vous pourriez provoquer une migraine insoutenable!

Savoir quand arrêter

Ne cherchez pas à «compléter» une semaine. À faire un mois «complet». Ne vous forcez pas à continuer de jeûner si vous sentez que votre corps en a assez. Dans ce cas, c'est lui qui mène.

Si vous allez au-delà de votre capacité de jeûner, vous risquez d'avoir un appétit hors de contrôle quand vous recommencerez à vous nourrir. Écoutez votre corps. C'est la clé.

Reconnaissez le retour de votre intérêt pour la nourriture. Cela se produit doucement, de façon subtile. C'est parfois une simple curiosité, dans votre tête, de savoir ce qu'il y a dans l'assiette d'un ami. Vous trouvez que «ça sent bon»... Arrêtez de jeûner.

Au début d'un jeûne, l'idée même de la nourriture est repoussante. Tout changement dans votre attitude vis-à-vis de la nourriture est un signe que votre désir de manger renaît. Il y a plusieurs façons de tricher. Ajouter un peu de pulpe à votre jus. Mâcher un morceau de nourriture et le recracher...

Ne trichez pas. Ce serait vous mentir à vous-même.

La vraie faim

La vraie faim est difficile, voire impossible à ignorer. Vous la reconnaîtrez. Et si vous décidez de ne pas y prêter attention, vous ne jeûnerez plus, vous mourrez de faim. Affamer votre système est une erreur! Le jeûne sert à nettoyer le corps, à le régénérer. La faim le torture.

Le bon sens!

Si vous devez jouer au théâtre dans une semaine, n'attendez pas une semaine pour arrêter votre jeûne! Vous risquez de mourir sur scène, une fin romantique pour un artiste, mais aucun bravo ne vaut ça. N'arrêtez pas non plus de jeûner deux jours avant une réception de mariage.

Le bon sens!

N'arrêtez pas de jeûner dans une période de grand inconfort. Votre organisme traverse peut-être une crise de nettoyage importante. Surmontez votre mal de tête, votre fièvre, votre nausée ou quelque symptôme que ce soit avant d'interrompre votre jeûne. Et attendez de vous sentir mieux avant de manger.

On mange quoi?

La règle est toute simple. Vous recommencez à manger des aliments qui contiennent beaucoup d'eau. Des fruits... Des soupes... C'est le moment de vous régaler avec ces jus de noix si délicieux et si nourrissants.

Puis, allez vers le melon d'eau. Le pamplemousse. L'orange. Raisin, pommes, poires, etc. sont tous d'excellents aliments qui préparent votre système à recevoir de la nourriture plus consistante. Si vous voulez une salade, consommez des pousses, des graines germées. Ce sont des aliments qui sauront satisfaire votre appétit de belle façon.

Les fruits secs sont fortement conseillés, en petites portions, et pas tous. Contentez-vous de figues, raisins, groseilles, pruneaux, plus doux et plus faciles à digérer.

Les quantités et la manière

Votre estomac dormait pendant votre jeûne. Il a même rétréci. Alors... attention à la quantité de ce que vous lui donnez. C'est important!

Comme il est important de vous asseoir pour manger. La digestion se fait mal quand on est debout ou qu'on se déplace. Mangez lentement et consciencieusement. Mastiquez vos jus. Sirotez votre soupe. Vos premiers repas doivent être pris comme s'ils étaient un nectar remis par Dieu!

Reposez-vous au moindre signe de faiblesse. Soyez patient. Votre organisme doit prendre le temps nécessaire à sa reconstitution avant de s'adonner à ses activités normales. Avant que vous repreniez vos activités normales, plus vous avez jeûné longtemps, plus vous devez être prudent dans votre façon de vous réhabituer à la nourriture. Petites quantités, et... écoutez votre estomac!

Repartir la machine
Nourrissez-vous comme un enfant.
Plusieurs fois par jour.
Par petites portions.
Buvez beaucoup d'eau.
Prenez des aliments simples.
Pas de combinaisons excessives ou compliquées.

Vous pouvez stimuler le système digestif avec des herbes comme la cannelle et la menthe, ou avec des graines comme le clou de girofle ou le cumin.

Un breuvage au vinaigre et au miel stimule la sécrétion d'acide chlorique: 15 ml (1 c. à soupe) de vinaigre, 15 ml (1 c. à soupe) de miel et 30 ml (2 c. à soupe) de cidre dans la quantité d'eau qui vous convient. À boire avant les repas.

Prenez aussi de longues et profondes respirations avant de commencer à manger pour ajouter de l'oxygène à vos cellules, et faites des étirements pour réveiller tout votre corps.

Qu'est-ce que la phase 1?

Les premiers jours qui succèdent à l'arrêt du jeûne. Ce sont les plus difficiles. Ceux qui exigent le plus de discipline et de retenue. Parce qu'il faut maintenant réhabituer le système digestif à travailler. Et qu'il faut le faire lentement, avec douceur. En ne lui offrant que de très petites quantités d'aliments qui contiennent beaucoup d'eau. Des fruits, quelques légumes, des soupes légères.

La durée de ce réapprentissage varie selon la durée du jeûne. Par exemple, après un jeûne de 10 jours, cette phase 1 durera 5 jours. Les jours 6 à 10 constitueront la phase 2. Les 5 jours suivants représenteront la période où l'alimentation redeviendra presque normale.

La phase 2: on agrémente le menu

Ici, on considère que le système digestif est prêt à recevoir une variété plus grande d'aliments, en portions plus raisonnables. Mais ici aussi, il faut faire preuve de patience et de discipline. Si vous ne mangez pas de bonnes choses, ou si vous trichez dans vos portions, vous pourriez souffrir amèrement.

La nourriture principale pendant cette phase sera la salade. Des pousses et des germes.

C'est aussi au cours de cette phase que vous pourrez réintroduire le gras dans votre alimentation. Des olives, de l'huile d'olive, de l'avocat, puis, plus tard, des noix et des graines. Tomates, huile d'olive et jus de citron serviront de vinaigrette... beaucoup plus tard. Vos premières salades seront sèches.

Les fruits sont également au menu de la phase 2, sans restrictions. Les fruits secs seront consommés avec parcimonie à cause de leur fort contenu en sucre et en fibres. Les noix et les graines, en petites quantités. Les soupes peuvent être un peu plus consistantes. Y mettre plus de légumes. Ajouter plus de pommes de terre ou de riz dans le bouillon.

Pas de légumes cuits. Pas de grains (céréales) ni de haricots. Pas de pain. Pas de produits laitiers ou d'origine animale.

La phase 3: retour à une diète normale

Le véritable début de la fin du jeûne! Le véritable retour à une alimentation normale.

Il s'agit maintenant d'être prudent si vous voulez prolonger les effets bénéfiques du jeûne et éviter de vous empoisonner à nouveau en retrouvant les mauvaises habitudes alimentaires d'avant le jeûne.

Les grains sont permis. Les plats cuisinés aussi. Vous pouvez maintenant savourer un bol de riz, une pomme de terre au four. Des légumes à la vapeur: brocoli, courgettes, haricots, fèves germées, etc.

Il n'y a même pas de restrictions du côté des fruits sec et des noix, sauf celles dictées par votre propre bon sens.

Pains et céréales reviennent au menu. Également, produits laitiers, viandes. Soyez quand même prudents avec les frites! Et les fromages gras sont à consommer en petites quantités.

Les aliments avec sucre ajouté sont à éviter, de même que tout ce qui contient les mots «artificiel» et «chimique» sur l'étiquette.

Votre jeûne vous a coûté cher en volonté, en discipline, en énergie. Essayez d'en prolonger les bienfaits le plus longtemps possible!

Ceux qui ne devraient pas jeûner

Les femmes enceintes.

Les nouvelles mamans.

Les enfants.

Les gens âgés.

Les gens qui souffrent d'hypoglycémie.

Les diabétiques.

Les gens qui sont gravement malades.

Ceux qui prennent des médicaments sur de longues périodes.

Ceux qui sont sous leur poids santé.

Ceux qui souffrent de tuberculose.

Ceux qui souffrent de graves problèmes cardiaques.

Ceux qui ont des problèmes aux reins.

Il y a toujours des exceptions à une règle. Le meilleur conseil que je puisse vous donner si le jeûne vous intéresse, est de consulter votre médecin.

Jeûne spirituel

On sait maintenant que le jeûne fait beaucoup plus que guérir le corps. Il fait du bien à l'âme. Il rétablit l'harmonie entre le corps et l'esprit, et vous fait prendre conscience de votre raison d'être et de votre environnement.

Quand le corps commence à se régénérer, c'est vraiment une expérience spirituelle. Un miracle. C'est là que l'expression «Un esprit sain dans un corps sain» prend tout son sens.

Vous êtes à nouveau «connecté» à vos frères humains, à la planète, à l'univers. Herbert Sheldon, le «père» du jeûne, a dit: «La liberté, l'aisance, la légèreté que vous expérimentez pendant un jeûne vous permettent de découvrir des profondeurs inimaginables au sens de la vie.»

Partout dans le monde, les adeptes de certaines religions pratiquent le jeûne. Les hindous et les juifs, deux des plus anciens groupes religieux, reconnaissent l'importance du jeûne. Chaque année, pendant quelques jours, ils s'abstiennent de nourriture et ne travaillent pas. Pendant le mois du ramadan, entre le lever et le coucher du soleil, les musulmans se privent de boire et de manger. Parce qu'ils croient que le jeûne est bon à la fois pour le corps et pour l'âme. La religion catholique a aussi invité ses fidèles à jeûner. Jésus lui-même l'a pratiqué et en a parlé dans ses sermons.

Le véritable jeûne spirituel est une sorte de méditation. On le pratique en silence. Pas de nourriture. Pas de paroles. Vous êtes seul avec vos pensées, et à un certain moment, elles aussi disparaissent.

Le véritable but d'un jeûne n'est pas seulement de changer de diète, de souffrir ou de maigrir. La discipline, l'élévation spirituelle, l'accroissement de la conscience sont les véritables bienfaits du jeûne. La nourriture vous lie à la terre. Le jeûne vous élève.

Il vous arrivera peut-être même de vous découvrir des aptitudes psychiques que vous ne soupçonniez pas. Libérée des poisons que la nourriture laissait derrière elle, votre énergie, vitale et mentale, se concentrera sur vos chakras (centres d'énergie) supérieurs plutôt que dans votre estomac.

Vous pourrez enfin découvrir votre paradis intérieur.

La puissance qui a créé le corps peut guérir le corps!

Si le jeûne était une pilule, il serait extrêmement populaire. Imaginez: un seul comprimé avec un verre d'eau pour nettoyer et guérir votre organisme, régénérer votre corps, rafraîchir votre esprit, élever votre âme... Vous paieriez cher pour vous la procurer!

Le jeûne ne coûte rien, est à la portée de tout le monde, mais bien peu de gens le pratiquent. Et pourtant... quel outil merveilleux! Quelle puissance! Disponible en tout temps!

Or, par ignorance, par peur, par un manque de volonté et de discipline, nous nous privons de ses bienfaits.

Le jeûne demande du courage. De la confiance. De la ténacité.

Nous avons le pouvoir de prendre notre propre santé en main et nous ne le faisons pas. Bon, ce n'est pas facile. Mais c'est plus facile que de manger et, ironiquement, plus nourrissant. Pour notre être tout entier!

Le jeûne au jus procure plus de vitamines et de minéraux que la nourriture solide, et permet un plus haut pourcentage d'assimilation. Ce qui compte, ce n'est pas la quantité d'aliments que nous prenons, mais comment nous utilisons ce qu'ils contiennent en énergie. Les vitamines, les minéraux, les enzymes, les protéines vivantes, les hormones, l'ADN et l'ARN ainsi que tous les merveilleux et mystérieux ingrédients vitaux de la nature sont contenus dans les fruits et légumes.

Malheureusement, notre système digestif est tellement inefficace, à cause de notre façon de nous nourrir, que la plupart des nutriments sont évacués plutôt qu'assimilés.

Le jus est assimilé à 95 % même par les gens dont le système digestif est lent ou faible. Les jus crus contiennent les nutriments microscopiques «prédigérés» dont les cellules et les tissus ont besoin. Le jeûne au jus est ce qui se rapproche le plus d'une transfusion sans aiguille!

Il est maintenant prouvé que le fait de manger des fruits et légumes est bon pour la santé au point d'augmenter l'espérance de vie.

Le jeûne n'est pas une baguette magique. Ni une diète miracle. Mais il devrait faire partie de votre vie. De votre programme de santé. Il est aussi important que la bonne alimentation, l'exercice, le repos, l'air frais, l'eau et le soleil. Et l'abandon de mauvaises habitudes comme le tabagisme, l'alcool, le café, etc.

Le jeûne est bon pour l'être humain.

Je le sais.

D'autres le savent aussi.

Informez-vous.

Lisez. Allez à des conférences. Rencontrez des gens qui en ont fait l'expérience. Découvrez votre motivation. Puis... commencez!

Doucement. Un jour ou deux. Puis trois ou quatre. Vous n'en mourrez pas! Au contraire... vous verrez la Vie comme vous ne l'avez jamais vue!

Imprimé au Canada.